Les carottes aiment les tomates

Les secrets du bon voisinage des plantes mis au service de votre jardin

par Louise Riotte

Traduit de l'américain par Claudette Contant

Adapté pour l'est du Canada par Guy Hains,
agronome

Table des matières

Préface

En Amérique du Nord, on constate de plus en plus une détérioration quotidienne de notre environnement. Cette détérioration est causée non seulement par les productions industrielles mais aussi par un manque de conscience collective et une négligence individuelle dans nos actions de tous les instants. Nous pouvons tous faire quelque chose. Mais avons-nous passé aux actes ou ne s'agit-il encore que de vœux pieux?

L'auteure des *Carottes aiment les tomates* nous présente par ses recherches et ses propres expérimentations, sa manière de concevoir et de vivre le jardinage qui semble, pour elle, une passion. J'ai, en effet, été emballé dès les premières pages par ce guide concis et bien structuré. L'auteure sait nous communiquer son amour de la nature, de l'environnement. Par ses suggestions et ses recommandations, elle nous laisse entrevoir des possibilités très accessibles d'améliorer notre qualité de vie.

Ce guide, ce traité va combler une lacune, ou tout au moins, va enrichir grandement nos sources de renseignements dans le domaine de la littérature horticole québécoise. Ne nous contentons pas uniquement de *lire* ce livre : *expérimentons-le*. Faisons-en notre livre de chevet ; ajoutons-y nos notes, nos impressions, nos essais. Ainsi, nous contribuerons à améliorer notre quotidien et nous apprendrons à mieux comprendre la nature qui nous entoure. De cette façon, nous vivrons en meilleure santé et d'une manière plus agréable.

J'invite donc les amateurs de jardinage — et de cuisine naturelle — à utiliser ce guide comme référence. Pour les néophytes — les « verts » quoi ! — il servira de manuel d'initiation à la culture biologique. Pour ceux et celles qui sont déjà des adeptes convaincus de ce mode de culture, il constituera une source précieuse de suggestions inédites.

Si, dans quelques années, votre livre se retrouve tout écorné par l'usage, ses pages usées griffonnées, tachées de terre et d'herbe, alors il aura atteint son but. Et je le souhaite de tout cœur.

C'est donc avec beaucoup d'enthousiasme que je signe cette préface. J'ai aussi ajouté à la traduction quelques remarques et adaptations se rapportant surtout aux espèces et aux variétés que l'on peut cultiver ici, au Québec.

Guy HAINS,
agronome.

Introduction

Les hommes s'intéressent depuis des siècles à la magie et au mystère qui entourent le bon voisinage des plantes ; malgré tout, il reste encore beaucoup à explorer. Nous n'en sommes qu'aux premiers balbutiements et j'espère que tous les chercheurs, jardiniers, horticulteurs et cultivateurs collaboreront pour faire de nouvelles découvertes qui augmenteront les ressources alimentaires mondiales. On a déjà développé des hybrides de céréales, de fruits et de légumes qui résistent aux insectes et aux maladies ; les recherches se poursuivent pour développer des espèces résistant aux mauvaises herbes.

Il est très pratique de connaître les plantes qui s'entraident, qui éloignent les insectes ou qui se nuisent mutuellement. Ces phénomènes ont toujours existé, mais on commence à peine à les expliquer. L'approfondissement de cet aspect du jardinage vous apportera à la fois du plaisir et des informations très utiles.

Il faut se rappeler que les effets protecteurs des plantes ne sont pas toujours instantanés. À titre d'exemple, les œillets d'Inde doivent croître pendant une saison ou même plus pour contrôler les nématodes, car leurs effets sont cumulatifs. Les capucines plantées dans un verger doivent être enfouies à la fin de la saison pour que les arbres puissent puiser dans le sol l'exsudation protectrice de cette plante. Par ailleurs, certaines plantes voient leur résistance diminuée lorsqu'elles sont à proximité d'autres plantes. Les substances sécrétées par les racines et l'odeur sont toutes deux importantes dans l'attraction ou la répulsion.

Les carottes craignent la mouche de la carotte, tandis que les poireaux sont vulnérables à la mouche de l'oignon et à la teigne du poireau. Lorsque ces deux plantes poussent ensemble, leurs odeurs fortes et différentes éloignent les deux types d'insectes qui ne pondront pas dans les environs. C'est pourquoi une culture mixte donne souvent de meilleurs résultats qu'une monoculture.

Le même phénomène se produit avec le chou-rave et les radis dans leur association avec la laitue. Les deux premiers sont souvent attaqués par la mouche du chou, qui est repoussée par l'odeur de la laitue. Même les plantes malades peuvent profiter d'une culture mixte. Dans ce livre, vous apprendrez à reconnaître les bons et les mauvais voisins. Les deux sont importants pour tirer le maximum d'un jardin.

Il est aussi utile de connaître les plantes qui ont la capacité de capter les minéraux du sol. Elles peuvent accumuler dans leurs tissus une concentration jusqu'à cent fois supérieure à celle du sol. Ces plantes, dont plusieurs sont considérées comme des mauvaises herbes, sont utiles sur les tas de compost, comme engrais vert ou comme paillis. Elles doivent retourner au sol et se décomposer pour que les autres plantes puissent en bénéficier.

Après les fleurs et les légumes, nous aborderons un type de vie communautaire complètement différent, celui des arbres fruitiers, des arbrisseaux et des ronces à petits fruits. Avez-vous déjà été déçu par un arbre fruitier dont les fleurs étaient butinées par les abeilles, mais qui ne donnait aucun fruit ? Le problème en est un de pollinisation.

Le pollen est la poudre des fleurs qui donne naissance aux fruits. Si l'arbre ne se pollinise pas lui-même et s'il n'y a pas d'agents pollinisateurs appropriés dans les environs, il est probable qu'il ne sera pas productif. Dans le chapitre « Pollinisation des fruits et des noix », nous aborderons quelques-uns de ces mystères qui tourmentent les nouveaux jardiniers ou propriétaires de vergers.

Si un arbre fruitier meurt, doit-on le remplacer par un autre de la même espèce ? Jamais. Connaissez-vous l'histoire du fermier qui faisait brouter son bétail dans le même pâturage année après année. Avec le temps, le bétail refusa de manger l'herbe qui était pourtant bien verte. Un jour, il décida d'y conduire ses chevaux et ses moutons, qui mangèrent l'herbe avec appétit. Pour eux, c'était un bon pâturage.

Un jeune pommier planté à l'endroit laissé par un autre se flétrira et mourra, tandis qu'un jeune cerisier planté au même endroit poussera comme une mauvaise herbe. Pourquoi? Les substances laissées dans le sol par le vieux pommier sont toxiques pour le jeune pommier, mais constituent des éléments nutritifs pour le cerisier.

Enfin, nous aborderons les plantes toxiques. Ce chapitre n'a pas pour but de vous effrayer, mais plutôt de vous prévenir, car la plupart des catalogues de plantes n'identifient pas les plantes toxiques et ne mentionnent pas leur degré de toxicité. Même les encyclopédies sur le jardinage ne donnent pas ce genre d'information.

Les cas d'empoisonnement par les plantes sont rares, mais ils existent. Dans la section alphabétique de ce livre, je cite certaines plantes toxiques qui sont utiles dans le jardin. Je crois qu'il est honnête de préciser que certaines peuvent être dangereuses pour les enfants, le bétail et même pour vous.

Plusieurs plantes, populaires et utiles sont toxiques : le poinsettie de Noël, le laurier-rose, la jonquille, la scille, le muguet, la jacinthe et le pied-d'alouette. D'autres plantes toxiques sont utilisées dans la fabrication de médicaments ou comme insecticides. Une bonne connaissance de ces plantes permet de les utiliser avec prudence. Les plantes toxiques, contrairement aux insectes ou aux animaux, ne sont pas agressives. Vous pouvez les contrôler en tout temps.

Les suggestions données dans ce livre ne sont qu'un point de départ. Votre propre expérience vous guidera dans plusieurs nouvelles voies.

Dictionnaire

A

Abeilles domestiques *(Apis mellifera)*

Les abeilles sont d'importants agents de pollinisation tant dans le jardin que dans le verger. Elles sont souvent attirées par les fleurs peu apparentes des graminées.

Une ruche d'abeilles constitue également un bon baromètre. Lorsque le faux-bourdon sort de la ruche par une belle journée d'été, c'est un signe d'humidité et de temps plus froid.

Avant de mettre un nouvel essaim d'abeilles dans une ruche, enduisez-la de citronnelle, essence que les abeilles aiment beaucoup. De la fumée de feuilles de datura stramonium (herbe aux sorciers) les calme lorsque la ruche est ouverte.

13

Absinthe *(Artemisia absinthium)*

L'espèce *cineraria*, en particulier, garde les animaux loin du jardin lorsqu'on l'utilise comme bordure. Elle éloigne également les teignes, les insectes volants et les papillons blancs du chou. Elle décourage aussi les limaces si elle est vaporisée au sol. Les puces des chats ou des chiens peuvent être éliminées en lavant l'animal dans un bain aux infusions d'absinthe.

Plusieurs variétés d'absinthe sont utilisées en pharmacie comme vermifuge ou insecticide. La plus importante est l'*artemisia cina*. On tire de sa fleur la santonine, qui sert à expulser les vers intestinaux. C'est l'un des ingrédients de l'Absorbine Junior ! L'absinthe était également utilisée dans la fabrication d'une boisson alcoolisée, dont on a découvert qu'elle causait des dommages au cerveau.

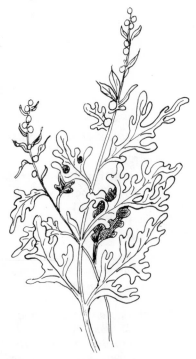

L'absinthe nuit à la croissance de plusieurs plantes dont la sauge, le fenouil et le carvi. Elle éloigne cependant les scarabées noirs.

Achillée millefeuille *(Achillea millefolium)* — Herbe à dindes

C'est une plante pleine de mystère et d'histoire. Pendant des siècles, les religieux chinois ont tenu des tiges d'achillée pour consulter les dieux.

Selon un traité de biodynamique, l'achillée a un effet sur les plantes voisines, non en termes de croissance, mais en augmentant leur résistance aux éléments hostiles et en améliorant ainsi leur santé. L'achillée est une bonne compagne pour les plantes médicinales, car elle augmente leurs huiles essentielles et leur vitalité.

Elle permet également aux plantes environnantes de mieux résister aux insectes, peut-être à cause de son odeur âcre et irritante.

L'achillée millefeuille repousse les insectes tout en augmentant l'arôme des autres herbes. Elle favorise également la cicatrisation des blessures.

En tisane, elle favorise le sommeil et j'en ai donné à des chèvres après qu'elles eurent mis bas. L'achillée pousse n'importe où et dans les conditions les plus difficiles. Elle supporte même qu'on marche dessus. Lorsqu'elle pousse sur des pelouses et qu'on passe la tondeuse, elle s'étend tout simplement.

ADN *(Acide désoxyribonucléique)*

L'ADN porte les caractères génétiques d'une cellule. Il est maintenant démontré que les bactéries peuvent assimiler l'ADN purifié et transmettre les gènes aux chromosomes de la cellule. Des expériences menées par L. Leroux et R. Huart, biochimistes au Centre d'étude sur l'énergie nucléaire à Mol en Belgique et par M. Jacobs, un généticien des plantes de l'Université de Bruxelles,

15

ont établi qu'une déficience en thiamine chez l'*arabidopsis thaliana* pouvait être corrigée par l'ADN.

Certaines espèces de cette plante ne pouvaient synthétiser la thiamine, ni croître, ni se reproduire sans suppléments. Les plantes traitées à l'ADN peuvent toutefois croître et se reproduire normalement sans supplément de thiamine. De plus, la descendance des plantes ainsi traitées ne montre aucune déficience en thiamine. Il semble donc que l'ADN, en plus de donner à la plante le gène nécessaire à sa croissance, permet aussi de transmettre la correction génétique à la génération suivante. Des recherches plus poussées dans ce domaine pourront être très utiles aux plantes servant à l'alimentation.

Aeorus calamus

Voir *Calamus*.

Ail *(Allium sativum)*

Eldon L. Reeves et S. V. Amonkar, chercheurs à l'Université de Californie ont découvert que l'ail était un insecticide puissant. Ils ont en effet éliminé à 100 % cinq variétés de larves de moustiques en vaporisant leurs nids d'une huile à base d'ail.

Mgr David Greenstock d'Angleterre a découvert qu'une émulsion d'ail pouvait tuer 89 % des aphidiens (pucerons) et 95 % des mouches de l'oignon.

Il a également nourri des poulets, des souris et des lapins avec de l'ail et a constaté une amélioration de leur santé. Par la suite, il découvrit que le principe actif de l'ail, l'*allicin*, est un mélange complexe de substances dont principalement des sulfures d'allyle. Ces substances sont produites par des enzymes dans le bulbe, où leur contrôle et leur efficacité dépendent de la présence de soufre assimilable. Le soufre est produit dans le sol par des micro-organismes, dont certains champignons microscopiques qui ne pourraient vivre sans la présence d'humus. L'ail cultivé organiquement est plus efficace, car les engrais chimiques ne contiennent pas d'humus pour favoriser le développement des champignons.

Cultivez votre ail vous-même et essayez cette recette. Faites tremper environ 100 g (3 à 4 oz) d'ail haché dans 2 c. à soupe d'huile pendant toute une journée. Ajoutez un litre d'eau dans laquelle vous aurez dissous 1 c. à café d'émulsion de poisson.

Mêlez bien. Passez le liquide et conservez-le dans un contenant en verre ou en plastique, car le mélange réagit au métal. Diluez à raison d'une part pour 20 parts d'eau et vaporisez sur les insectes indésirables. Si les légumes de votre jardin attirent les lapins, essayez ce mélange. Les lapins et les lièvres détestent l'odeur du poisson tout comme celle de l'ail. Ce mélange est aussi utile pour contrer une rouille légère sur les tomates ou pour empêcher la brûlure des pommes de terre.

L'ail planté en cercle autour des arbres fruitiers empêche la venue des insectes perceurs. Il protège les roses ; il fera fuir les charançons des graminées si des gousses sont posées près des céréales entreposées. Toutes les plantes de la famille de l'ail nuiront à la croissance des pois et des haricots. Plantez l'ail avec les tomates pour éloigner les araignées rouges. Je l'ai fait trois ans de suite avec beaucoup de succès.

Les Babyloniens et les Hindous connaissaient les valeurs curatives de l'ail il y a plus de 3000 ans. Ces propriétés étaient également bien connues des Égyptiens, qui donnaient beaucoup d'ail aux esclaves bâtisseurs de pyramides. Les médecins grecs, qui sont les pères de la médecine moderne, utilisaient l'ail dans leurs prescriptions. Lors des conquêtes romaines, l'ail était rationné et servait à nourrir les soldats.

L'école de Salerne, qui existe depuis plus de 800 ans, inclut l'ail dans son *materia medica*, et il a toujours été un remède domestique.

Aleurodes *(Trialeurodes vaporariorum)*

Les aleurodes ou mouches blanches sont des insectes qui profitent de la déficience en minéraux du sol. Des expériences ont démontré que les aleurodes de serre s'attaquent aux tomates seulement lorsque le sol manque de magnésium ou de phosphore.

On peut les combattre naturellement en plantant des capucines avec les tomates dans la serre. On peut aussi faire brûler des feuilles de chêne dans la serre pendant une demi-heure ou vaporiser de la nicotine.

Les aleurodes peuvent être contrôlés biologiquement par certains petits parasites, de même que par les coccinelles noires et par plusieurs pucerons.

Algues

Cette source d'aliments encore méconnue pourra s'avérer très utile pour répondre aux besoins grandissants de la population du globe. On estime que la capacité de photosynthèse des algues est dix fois plus grande que celle de toutes les plantes terrestres. Si c'est vrai, nous devons considérer les algues comme une source riche et abondante pour l'alimentation future.

Dans certaines parties du monde, comme au Japon et en Chine, les algues représentent un élément important de l'alimentation. Les habitants des régions côtières cultivent l'algue brune sur des tiges de bambou enfoncées dans les eaux peu profondes de l'océan. Les algues, que l'on trouve dans plusieurs magasins d'aliments naturels, sont très riches en minéraux et contiennent aussi des hydrates de carbone et des vitamines. Les algues brunes, à cause des minéraux qu'elles contiennent, sont aussi utilisées pour fertiliser les sols (étendre sur le sol et enfouir). On peut aussi employer leurs cendres comme fertilisant. Certaines espèces sont utilisées comme source d'iode en pharmacie.

Allélochimie

L'allélochimie est une branche de l'écologie qui étudie les interactions chimiques entre les différentes espèces. Les organismes se transmettent en effet des substances chimiques naturelles extrêmement puissantes. L'organisme qui reçoit le message est contraint à réagir et une particule aussi infime qu'une molécule peut produire un effet à une très grande distance de sa source. Les influences négatives ou les antipathies des plantes entre elles s'appellent l'allélopathie. Les noms scientifiques des substances causant des interactions entre les espèces sont les suivants :

Phéromones. Ces sont les messagers qui communiquent entre les membres d'une même espèce. Lorsqu'une abeille a piqué, elle meurt car elle ne peut retirer son dard ; cela déclenche alors la phéromone qui dira aux autres abeilles de venir et de piquer. Les phéromones sexuelles sont sécrétées par plusieurs insectes afin de trouver un partenaire.

Allomones. Ce sont des substances similaires, mais qui sont comprises par les membres d'espèces différentes. Généralement les allomones commanderont à une plante, à un insecte ou à un animal d'exécuter une action bénéfique pour lui-même. Ces actions peuvent inclure la sécrétion d'une substance répulsive (comme le venin) ou d'une substance qui attire une proie ou favorise la pollinisation.

Kairomones. Ces substances font aussi partie du langage entre les espèces, mais elles leur sont nuisibles. On croit que les feuilles des noyers noirs, des sycomores et de certains érables sécrètent une substance qui empêche les autres espèces de croître autour de leurs racines. Lorsque la partie supérieure de ces arbres est détruite par le feu, on a observé que les herbes poussaient autour jusqu'à ce que l'arbre ou l'arbrisseau croisse à nouveau et dégage cette substance répulsive.

Aloès *(Aloaceae)*

Cette plante médicinale, utilisée depuis des siècles appartient à la famille des liliacées, c'est-à-dire à la même famille que le lis, l'ail et l'oignon. Plus de 200 espèces de liliacées ont des propriétés médicinales.

Les aloès sont des plantes xérophiles, c'est-à-dire qu'elles sont adaptées pour vivre dans des lieux secs puisque leurs tissus retiennent l'eau et empêchent l'évaporation. Ce sont des plantes qui poussent naturellement dans des climats chauds, mais que l'on peut facilement cultiver en pots à l'intérieur dans nos régions du Nord.

Sans doute à cause du suc amer qu'ils sécrètent, les aloès sont exempts de maladies et de parasites. Toutes les plantes xérophiles sont des purgatifs naturels ayant une saveur amère.

Les jeunes plants d'aloès poussent à la base de la plante mère. Contrairement aux cactus, ses épines sont molles. L'aloès en poudre saupoudré sur les plantes éloignera les lapins et les lièvres.

Altise *(Faltica* et *Epitrix)* — Puce des plantes

Les insectes volants comme les altises détestent l'humidité. On peut souvent les éloigner en arrosant simplement le jardin en plein soleil. Les altises sont gênantes, sans être vraiment domma- geables, pour les aubergines, les tomates, les navets et les radis. Les dommages ne sont souvent qu'esthétiques et les plantes en santé s'en tirent facilement, en devenant moins attirantes pour les insectes par des feuilles plus grosses et plus coriaces. Le sarclage et l'addition de matières organiques dans le sol éloigneront les altises tout en aidant les plantes.

Des feuilles de sureau émiettées sur les rangs de plants contribueront à éloigner ces insectes. Il en va de même pour la menthe et l'absinthe. Les altises attirées par les radis ou les choux-raves pourront être chassées en faisant alterner ces plants avec des plants de laitue.

Amarante réfléchie *(Amaranthus retroflexus)*

Cette plante, qu'on appelle parfois « queue de renard », se trouve généralement dans les sols cultivés. C'est l'une des plantes les plus efficaces pour extraire les éléments nutritifs du sous-sol. On peut la cultiver en association avec les pommes de terre, mais en l'éclaircissant pour qu'elle n'étouffe pas les tubercules. Elle s'associe tout aussi bien aux oignons et au maïs.

Euell Gibbons affirme que les feuilles d'amarante contiennent plus de fer que tous les autres légumes verts, exception faite du persil.

L'amarante est l'une des plantes les plus efficaces pour puiser les éléments nutritifs du sous-sol. Elle fait bon voisinage avec les pommes de terre, les oignons et le maïs. Elle doit cependant être éclaircie.

Cette plante qui croît à l'état sauvage dans la campagne québécoise est connue sous le nom de « racine rouge ». Ses petites graines, qui se détachent aisément des épis, peuvent être cuites avec le pain. On peut aussi les faire éclater, les enrober de miel et les manger comme friandises. En Inde, les feuilles d'autres espèces sont mangées en salade ou cuites comme des épinards, tandis que les graines sont moulues pour faire de la farine.

L'amarante (qui est un parent éloigné de la betterave) est très riche en vitamine C et contient sensiblement le même pourcentage de vitamine A que la betterave cultivée.

Ancolie *(Aquilegia vulgaris)*

Ces magnifiques plantes plaisent beaucoup aux araignées. Il faut donc éviter de les cultiver près des légumes. L'ancolie croît dans les sols riches en humus et elle est moins vulnérable que d'autres aux insectes mangeurs de feuilles. Cette plante pousse bien avec la rhubarbe à la condition d'être engraissée avec du fumier de vache. L'ancolie est une plante qui n'aide pas les autres plantes et qui peut même leur nuire. Elle consomme en outre beaucoup d'éléments nutritifs. Il importe donc de bien la nourrir, ainsi que les plantes de son entourage.

Les Amérindiens prêtaient aux fleurs de l'ancolie du Canada des vertus tranquillisantes.

Aneth odorant *(Anethum graveolens)*

L'aneth est un bon voisin pour le chou, car il favorise sa croissance et sa résistance. Il ne fait pas bon ménage avec les carottes ; s'il croît jusqu'à maturité, il réduira leur rendement de beaucoup. Il faut le retirer avant sa floraison. L'aneth peut être semé dans les espaces laissés par la récolte des betteraves hâtives. On peut aussi en semer de façon éparse avec la laitue, les concombres et les oignons. Les abeilles aiment les fleurs d'aneth.

Anis *(Pimpinella anisum)*

Les graines épicées de cette herbe annuelle de la famille du carvi et de l'aneth servent à parfumer les pâtisseries, les biscuits et certains fromages. L'huile extraite des graines est utilisée dans la fabrication de liqueurs et de médicaments. Sa fleur réduite en poudre et mélangée à du vermouth donne son arôme au vin muscat. L'anis mélangé à de l'huile de menthe poivrée ou de conifères est antiseptique et est utilisé comme onguent (lorsque mélangé avec du saindoux) contre les poux et contre les démangeaisons qui accompagnent les morsures d'insectes.

Semé avec de la coriandre, l'anis germe mieux, croît plus vigoureusement et donne de plus belles fleurs.

Aphidiens *(Aphididae)* — Pucerons

On retrouve les aphidiens dans une grande variété de couleurs ; ils peuvent être verts, noirs, roses, jaunes ou rouges. Ces insectes au corps mou attaquent et blessent presque toutes les plantes en piquant et en déformant leurs feuilles.

Les capucines éloigneront les aphidiens des brocolis. La ciboulette, en plants serrés entre les chrysanthèmes, les hélianthes et les tomates, les éloignera également. Les fourmis attirent les aphidiens, mais les tanaisies éloigneront les fourmis.

Les coccinelles sont les ennemis des aphidiens. Je les ai souvent observées travaillant sur des fleurs d'okra lorsque mon jardin était infesté d'aphidiens.

Même si les aphidiens détruisent les plantes lorsqu'ils sont nombreux, il ne faut pas les faire disparaître complètement. Il doit en rester pour nourrir certains insectes utiles.

Utilisez le chou chinois pour piéger les aphidiens. Si des capucines sont plantées en cercle autour d'arbres fruitiers, les aphidiens se tiendront loin. Un chercheur d'une station expérimentale du Connecticut a découvert que la couleur jaune des fleurs de capucine fait que les aphidiens volants évitent les plantes qui se trouvent au-dessus.

(Voir aussi **Puceron noir***)*

La guêpe pique l'aphidien destructeur de graines et lui injecte un œuf dans le corps. La larve de la guêpe détruira alors l'aphidien.

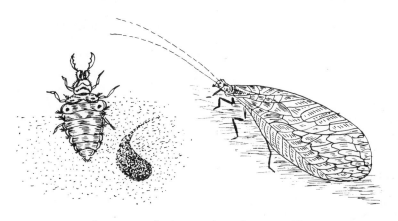

Le puceron du chou est de couleur vert pâle.

Arachide *(Arachis hypogaea)*

En tant que membre de la famille des légumineuses, l'arachide est un bon regénérateur de sols. L'arachide peut être plantée comme seconde culture après la récolte des carottes ou des betteraves. Depuis quelques années, on cultive les arachides dans les régions chaudes du Canada, notamment dans le sud de l'Ontario, en remplacement des cultures de tabac.

Araignée *(Arachnida)*

Certaines mites et araignées sont des prédateurs naturels, donc nos alliées puisqu'elles se régalent d'insectes nuisibles.

Arbres fruitiers

Les arbres fruitiers profiteront du voisinage de la moutarde et du trèfle. La ciboulette, l'ail, les oignons, les capucines, le raifort, l'armoise et la grande ortie leur sont également de bons voisins.

Armoise *(Artemisia)*

Faites sécher les feuilles d'armoise, placez-les dans un sac de nylon et suspendez-les dans un garde-robe pour éloigner les mites. Faites-les brûler dans le foyer pour éliminer les odeurs de cuisson.

L'armoise a des feuilles très vertes et bien découpées qui dégagent un arôme de citron et de pin. Semée à proximité, elle protège les choux contre les papillons du chou et les arbres fruitiers contre les lépidoptères.

Armoise absinthe *(Artemisia absinthium)*

Aussi appelée absinthe, cette plante est utile en bordure du jardin pour éloigner les animaux. Certaines espèces ornementales ont des feuilles d'une grande délicatesse et peuvent être intégrées à des plates-bandes ou à des massifs de conifères.

Armoise vulgaire *(A. vulgaris lactiflora)*

L'armoise vulgaire est l'espèce la plus utile de sa famille. Plantée dans la basse-cour, elle éloignera les poux et, comme les poulets aiment manger cette plante, elle les protégera aussi contre les vers. En faible infusion, elle pourra être utilisée pour vaporiser les arbres fruitiers.

L'armoise ne doit pas être placée trop près des autres plantes du jardin, car elle en retarderait la croissance particulièrement lorsqu'il pleut beaucoup. Ses racines et ses feuilles dégagent une substance toxique soluble dans l'eau qui imbibe le sol et demeure active pendant une période de temps indéterminée.

Arroche glabre *(Atriplex glabriuscula)*

Cette magnifique plante annuelle, parfois appelée épinard français, a les feuilles ondulées de la betterave rouge. À cause de sa texture farineuse, on l'utilise souvent comme herbe potagère. Elle ne doit pas être placée près des pommes de terre, car elle peut nuire à leur croissance.

L'araignée de jardin est l'un des meilleurs amis du jardinier.

Les vieux herboristes croient que l'arroche crue ou cuite a des propriétés purificatrices et qu'utilisée en compresses, elle peut guérir les glandes enflées de la gorge.

Asclépiade *(Asclepias)* — Petit cochon

De toutes les espèces d'asclépiades s'écoule un liquide laiteux lorsque leurs feuilles ou leurs tiges sont perforées. Leurs racines sont considérées comme toxiques, mais les Amérindiens les utilisaient pour soigner plusieurs maladies. Certains disent que le liquide laiteux permet de traiter les verrues et la teigne. Les vaches n'aiment pas le goût amer de ces plantes, mais elles peuvent en manger si elles ne trouvent pas autre chose.

Asperge *(Asparagus officinalis)*

Le persil et l'asperge plantés côte à côte auront tous deux plus de vigueur. L'asperge se plaît également avec le basilic, qui est lui-même un bon voisin pour les tomates. Les tomates protégeront les asperges contre le criocère, car elles contiennent une substance appelée *solanine*. Si les criocères sont nombreux, ils attireront leurs prédateurs naturels, rendant la vaporisation inutile. Un dérivé chimique des asperges s'est avéré efficace sur les plants de tomates pour détruire les nématodes.

Dans mon potager, je plante les asperges sur un long rang d'un seul côté. Au début de l'été, après la récolte des pousses d'asperges, je plante un rang de tomates de chaque côté et les deux bénéficient de l'association. Les tomates protègent aussi les asperges en empêchant la croissance des mauvaises herbes. Les tiges (ou turions) des asperges ne doivent pas être coupées avant la fin de l'automne, car elles sont nécessaires aux racines pour pouvoir produire de nouvelles pousses la saison suivante.

Aspérule odorante *(Asperula odorata)*

L'aspérule odorante est excellente comme plante couvre-sol, particulièrement sous les pommetiers. Même si l'aspérule peut croître au soleil, son feuillage sera plus vert et plus abondant s'il reçoit de l'ombre au moins pendant la moitié de la journée.

Aster *(Asteroides)*

Plusieurs asters sont de bons indicateurs du sol. Certaines espèces aiment les sols peu humides. Si on trouve l'aster touffu *(Boltonia asteroides)* ou l'aster ponceau à tige violette *(A. puniceus)* dans un champ ou un pâturage, c'est que le sol est mal drainé. L'aster étroit *(A. angustus)* croît près de la mer et des mines de sel et il absorbe le sel et la soude. L'aster toxique *(Xylorrhiza parryi)* indique un sol alcalin et l'aster des bois (*A. nemoralis*), un sol acide.

Astragale *(Astragalus)*

L'astragale produit des effets étranges sur les animaux qui en sont intoxiqués. Cependant, plusieurs espèces d'astragales qui font partie de la famille des légumineuses n'ont pas la réputation d'être toxiques.

Phénomène étrange, la toxicité de ces plantes dépend du sol où elles poussent, car elles absorbent les éléments toxiques contenus dans le sol. Toutes les parties de la plante sont toxiques et les effets produits sont variés selon qu'il s'agit de chevaux, de bêtes à cornes ou de moutons.

Les chevaux sont amortis, traînent de la patte, mangent peu, perdent le contrôle de leurs muscles, maigrissent et meurent. Les bêtes à cornes réagissent sensiblement de la même façon, sauf qu'elles courent parfois en tous sens, chancellent et se frappent contre des objets. Les moutons sont moins vulnérables à ce poison.

Les éleveurs détruisent l'astragale en coupant ses racines cinq centimètres sous le niveau du sol. Dans les années quatre-vingt, l'État du Colorado a dépensé 200 000 $ pour éliminer cette plante.

Aubergine *(Solanum melongena)*

Le cycloloma (voir *Cycloloma*) permettra aux aubergines de mieux résister aux insectes. Pendant la saison chaude, un paillis et une bonne irrigation leur évitera les maladies. En saupoudrant du poivre de cayenne sur les plantes, alors qu'elles sont encore mouillées par la rosée, on fera fuir les chenilles. Les aubergines plantées avec les haricots verts seront protégées contre les altises de la pomme de terre. Ces insectes aiment l'aubergine encore plus que la pomme de terre, mais ils détestent les haricots.

Aulne *(Alnus)*

Apparenté au hêtre blanc et au bouleau, ce petit arbre qui affectionne particulièrement les lieux humides pousse très rapidement et est utilisé à des fins bien définies. Le genre compte plus de vingt espèces, dont trois poussent au Québec. Plantés en haie le long d'un cours d'eau, les aulnes empêcheront l'érosion grâce à leurs racines entremêlées. Les aulnes favorisent également le drainage des sols trop humides.

Auxine

Cette hormone contribue à la croissance des plantes. Les bulbes, les embryons, les jeunes feuilles et les tiges produisent de l'auxine, qui permet aux plantes de croître rapidement. Cette hormone est aussi responsable de la croissance des plantes vers la lumière. En frappant sur un côté de la tige, la lumière fera que l'auxine se déplacera du côté non exposé de la tige. L'augmentation d'auxine dans la partie non exposée à la lumière fera croître cette partie plus rapidement et la tige se tournera vers la lumière.

L'auxine est utile en horticulture ; elle stimule la formation des racines lors du marcottage, elle empêche les pommes de terre de germer et elle prévient la chute prématurée des feuilles des plantes.

La gibbérelline est un type d'auxine qui stimule aussi la croissance des plantes. Les chercheurs croient que la gibbérelline est une substance naturelle qui amène la floraison et accélère la germination. Elle semble également favoriser la croissance des arbres et des cultures agricoles.

Comme le bon voisinage des plantes dépend largement de l'exsudation des racines, de la capacité des plantes à fixer l'azote, de leur odeur, etc., il apparaît que les régulateurs de croissance comme l'auxine auront peu d'effets dans un sens comme dans l'autre.

Avoine *(Avena sativa)*

Il semble y avoir des contradictions dans le bon voisinage des plantes. Un jardinier rapporte que ses chétifs jeunes pêchers ont bénéficié de la proximité de l'avoine au moment de la récolte, alors qu'il en avait placé un boisseau sur chaque arbre. Après quelques semaines, tous les jeunes arbres avaient de nouvelles pousses. Par ailleurs, un autre jardinier prétend que l'exsudation des racines d'avoine nuit à la croissance des abricotiers.

La croissance des pêchers n'est sans doute pas due à l'avoine, mais aux champignons produits par sa décomposition, car presque tous les arbres ont une relation symbiotique avec les champignons microscopiques. Les champignons croissent autour des racines des arbres et leur fournissent les vitamines et les engrais naturels nécessaires à leur santé et à leur croissance.

À cause de cette relation, il est important de conserver la terre originale lorsqu'on transplante un arbre ou un arbuste. Vraisemblablement, il y a dans cette terre des champignons qui sont nécessaires à la plante.

Vous pouvez même essayer ceci. Si un arbre ne va pas bien après avoir été transplanté, prenez de la terre autour d'un arbre en santé de la même espèce et placez-la autour de l'arbre à problèmes. Il y a de bonnes chances pour que l'arbre se mette à croître normalement.

Cela fonctionne non seulement avec les arbres, mais aussi avec les plantes d'intérieur. Si possible, essayez de savoir dans quel type de sol ces plantes croissent à l'état naturel ; trouvez un peu de ce sol et voyez comment la nature agira sur ces plantes beaucoup mieux que n'importe quel fertilisant vendu dans le commerce.

Au Québec, il est bien connu que lorsqu'on plante une haie de cèdre commun *(thuya canadensis)*, il suffit de jeter dans la fosse une grosse poignée de grains d'avoine au pied de chacun des plants pour que ceux-ci croissent beaucoup plus rapidement et plus fortement.

Des séquences de cultures sont parfois nécessaires. Une culture de trèfle et d'avoine, plantée après le gazon et avant le maïs, réduira le nombre d'asticots qui ravagent le maïs. L'avoine et la vesce croissent bien ensemble.

L'avoine peut également être utilisée pour attirer le carouge à épaulettes et l'éloigner des autres graminées. L'avoine devra être plantée à une certaine distance de l'endroit où perchent les oiseaux.

Azalée *(Ericaceae)*

Les azalées, le houx et les rhododendrons sont de bonnes plantes de jardin car elles s'accommodent bien d'un sol acide. Ne plantez pas les azalées (ou les rhododendrons) près de noyers noirs, car la substance qui s'écoule des feuilles de ces arbres leur est nuisible.

Azote (arbres qui fixent l')

Le houx verticillé *(Ilex verticillata)* est le seul arbuste qui, sans être une légumineuse, est capable de fixer l'azote de l'air. Il favorise aussi le drainage des sols humides.

Les arbres à cosses ou à pois fixent l'azote de l'air et l'emmagasinent dans leurs tiges et leurs racines qui, en se décomposant, retournent au sol cet élément chimique souvent rare mais essentiel aux plantes. Les arbres et arbustes de cette catégorie comprennent le robinier faux-acacia *(Robinia pseudo-Acacia)*, le robinier rose *(Robinia hispida)*, le févier à trois épines *(Gleditsia triacanthos)*, le gros févier *(Gymnocladus dioica)*, le gainier du Canada *(Cercis canadensis)* et le *Catalpa speciosa*.

Azote (plantes qui fixent l')

Même si l'azote représente 80% du volume de l'air, il est presque inutile à la plupart des plantes s'il n'est pas transformé avant d'être utilisé. La foudre mélange ou fixe de petites quantités d'azote et d'oxygène de l'air pour former de l'acide d'azote qui retournera à la terre par la pluie ou la neige.

Les bactéries vivant dans les nodosités des racines des légumineuses fixent l'azote et peuvent transformer l'azote atmosphérique en azote composé (nitrate, nitrite) utile pour elles et pour les autres plantes. Ces bactéries transforment aussi l'azote de l'air en protéines dans les racines de la luzerne, du haricot, du trèfle, des pois, des fèves de soya, de la vesce et de plusieurs autres légumineuses. Depuis des siècles, les fermiers pratiquent la rotation des cultures pour tirer avantage de l'augmentation de la fertilité du sol que produisent les légumineuses.

Les légumineuses ne profitent pas seules des bactéries qui fixent l'azote ; elles en font aussi profiter les plantes voisines. Les pois et les haricots favorisent la croissance des pommes de terre, des carottes, des concombres, des choux-fleurs, du chou, de la sarriette, des navets, des radis, du maïs et de bien d'autres herbes et légumes.

Le trèfle est particulièrement intéressant comme engrais vert qu'on enfouit la saison suivante avant de planter du maïs. Le trèfle rouge pourra être utilisé en remplacement de la luzerne dans des sols trop acides et trop peu aérés. Le meilleur taux de pH pour le trèfle rouge se situe entre 5,8 et 6,8, mais il pourra supporter un taux inférieur à 6 et bien se comporter.

B

Bacille thuringiensis

Cette maladie bactérienne sélective est efficace contre certains insectes dont les tordeuses des arbres fruitiers. Pendant la production de spores, le bacille produit des cristaux qui empoisonnent les insectes qui mangent de la plante traitée. Cette substance n'est pas toxique pour les plantes, les humains ou les animaux et elle peut être appliquée jusqu'à la récolte.

Le bacille est aussi très efficace contre les chenilles et les larves de lépidoptères — la maladie attaque l'insecte au stade de chenille alors qu'il vient de sortir du cocon. Le bacille est très utilisé pour protéger les cultures de céleri, de laitue, de chou, de brocoli, de chou-fleur, de chou frisé, de chou vert et de navet. Il est aussi efficace contre le sphinx du tabac et de la tomate.

Balsamine

Voir *Impatiente*.

Bardane *(Arctium)* — Artichaut

Ne laissez pas croître les bardanes, car ce sont des pilleurs de sol. Ne les laissez surtout pas monter en graines, car leurs fructifications (que l'on appelle communément graquias, toques ou teignes) pourraient adhérer à la laine des moutons, aux poils des vaches, des chevaux, des chiens et même aux vêtements. La bardane serait alors semée en grande quantité.

Les racines de bardane ont des propriétés médicinales et l'on dit qu'elles soulagent la goutte et les maladies de peau. La culture d'une bardane comestible a été développée au Japon et la racine cuite est très appréciée pour sa saveur. Les Orientaux croient également que la bardane purifie le sang et soulage les arthritiques.

Basilic *(Ocimum basilicum)*

Le basilic est un bon voisin pour les tomates, dont il favorise la croissance et la saveur. Comme c'est un petit plant de 20 cm à 50 cm de hauteur, faites-le pousser en parallèle avec les tomates plutôt qu'entre les plants. Il chasse les mouches et les moustiques. Parsemé sur les tomates dans un bol de service, il éloignera les mouches à fruits.

Ses feuilles très vertes d'environ 5 cm de longueur ont une odeur et un goût de clou poivré. Pincez le bout des plants et ils pousseront en petits bosquets et deviendront plus denses. En cuisine, cette herbe sert à aromatiser les vinaigres, les soupes, les ragoûts et les salades. On peut aussi l'utiliser dans des plats de fromage cottage, d'œufs, de viande hachée, de saucisses et de légumes.

On dit souvent que les herbes peuvent rehausser tous les plats sauf les desserts. Le basilic fait exception à cette règle, car il est idéal pour donner une saveur subtile et indéfinissable au gâteau quatre-quarts. Il peut aussi remplacer le poivre noir pour les personnes qui souffrent de problèmes digestifs. (voir *Herbes substituées au poivre*).

On sait depuis les temps anciens que le basilic et la rue se détestent profondément. Peut-être est-ce parce que le basilic est sucré et que la rue est très amère?

Baume

Voir *Menthe à épis.*

Belle angélique

Voir *Calamus.*

Belle-d'un jour

Voir *Hémérocalle*

Betterave commune *(Beta vulgaris)*

La betterave pousse bien en compagnie des plants de haricots, d'oignons ou de choux-raves, mais elle n'aime pas les haricots grimpants. La laitue et la plupart des membres de la famille des choux constituent de bons voisins.

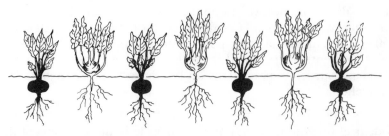

Les betteraves et les choux-raves sont de bons compagnons. Les deux exigent le même type de culture et se nourrissent à des niveaux de sol différents.

Betterave sucrière *(Beta vulgaris)*

Le fourrage peut être partiellement remplacé par de la betterave sucrière, que tous les animaux aiment et qui augmente la production des vaches laitières. Le brome des seigles, qui est souvent méprisé, a la capacité de couvrir rapidement les sols dénudés et d'en empêcher l'érosion. Il attire aussi les sauterelles qui, autrement, s'attaqueraient aux betteraves.

Blé *(Triticum vulgaris)*

Il y a deux versions fort intéressantes en ce qui a trait aux origines du blé. La première dit que le blé est apparu quelque 8000 ans avant Jésus-Christ à l'occasion d'une pollinisation involontaire qui donna des grains plus dodus. Cette nouvelle plante appelée *Triticum dicoccoides* fut l'objet d'autres croisements accidentels conduisant à un meilleur hybride. L'enveloppe des grains étant beaucoup plus dure que celle des autres graminées, ils ne peuvent se répandre naturellement. Le blé a donc dû compter sur l'intervention de l'homme.

Des théosophes croient que le genre humain a reçu de l'aide à un certain stade de son développement par des grands initiés venus de la planète Vénus. Ils croient non seulement à leur assistance morale et sociale, mais ils croient également que ces derniers leur ont fourni le blé, les abeilles et les fourmis. Le seigle, croient-ils, a été produit par l'homme par des croisements sélectionnés pour imiter le blé. L'avoine et l'orge sont, pour leur part, des hybrides créés par croisement avec des herbes terrestres.

Dans certaines régions, le pavot échappé de culture pourrait devenir une nuisance pour les pâturages ; mais nous n'en sommes pas encore là. Il ne doit pas s'étendre, car il nuit à la croissance du blé. De la camomille plantée dans un champ de blé dans une proportion de 1 pour 100 sera favorable ; en plus grande proportion, elle sera cependant nuisible. Le blé bénéficiera de la présence du maïs.

La croissance du blé est affectée négativement par la proximité des cerisiers, des cournouillers, des pins, des tulipes et des racines de sorgho. Les chardons des champs et les liserons des haies sont nocifs au blé et aux graines de lin.

Blé noir *(Fagopyrum esculentum)*

Le blé noir ou sarrasin, qui pousse dans un sol pauvre et assimile beaucoup de calcium, regénère les sols. Utilisé de cette façon, il étouffera les mauvaises herbes et, enfoui à la manière d'un engrais vert, il adoucira le sol et le rendra propice aux autres cultures.

Bleuet

Voir *Centaurée bluet*

Bouleau *(Betula)*

Je crois que les racines du bouleau sécrètent des substances qui accélèrent la fermentation des tas d'engrais ou de compost. Le docteur Ehrenfried Pfeiffer, un fervent défenseur des méthodes bio-dynamiques pour les cultures et les jardins, a observé que le compost fermenté à proximité des bouleaux gris profitait de ce voisinage et ne manquait d'aucun élément nutritif même si les racines pénétraient dans le tas. Il est cependant recommandé de garder une distance de 2 mètres entre l'arbre et le tas de compost.

Bourrache *(Boraginaceae)*

La bourrache est une excellente source de potassium, de calcium et d'autres minéraux naturels. Faites pousser cette herbe dans un verger ou en bordure d'un champ de fraises. Les abeilles aiment festoyer sur ses boutons.

Au Québec, on trouve en abondance le cynoglosse officinal, de la même famille, et qui peut remplacer facilement la bourrache pour ces qualités.

La bourrache et les fraises s'aident mutuellement en autant qu'on limite la bourrache à quelques plants en bordure du champ de fraises. Le jus de la bourrache est une boisson délicieuse et nourrissante.

Bourse à pasteur *(Capsella bursa pastoris)*

Le docteur Eldon Reeves, un entomologiste de l'Université de Californie, a découvert que les bourses à pasteur et les lépidium *(Lepidium densiflorum)* attrapent les larves de moustiques avec une colle naturelle qui se dégage lorsque les graines sont immergées dans l'eau. Pendant qu'elle tente de se nourrir, la larve entre en contact avec la graine, reste collée et meurt. Il est recommandé de stériliser les graines à la chaleur avant de les utiliser de cette façon afin d'éviter qu'elles germent.

La bourse à pasteur est très riche en minéraux. Plantée avec la moutarde, elle absorbe l'excédent de sel du sol qu'elle retourne ensuite sous une forme organique. Plantée dans un marais salant et enfouie alors qu'elle est toujours verte, elle adoucira le sol et en tirera les éléments nutritifs nécessaires aux autres plantes. Elle a en outre des propriétés médicinales et elle a été utilisée comme astringent.

Bouton d'or

Voir *Renonculacées.*

Brocoli *(Brassica oleraceae)*

Comme tous les membres de la famille des choux, les brocolis voisinent bien avec les plantes aromatiques, comme l'aneth, le céleri, la camomille, la sauge, la menthe poivrée, le romarin, ainsi qu'avec certains légumes, comme la pomme de terre, les betteraves et les oignons. Cependant, ne les plantez pas près des tomates, des haricots grimpants ou des fraises. Pour chasser les aphidiens (pucerons), mettre de la poudre de pyrèthre sur les brocolis avant que la fleur ne soit éclose.

Bulbes

Les bulbes du crocus et du colchique (qui sont toxiques s'ils sont mangés) donnent de très jolies fleurs, mais on obtiendra un bien meilleur effet en les accompagnant de plantes plus petites, comme l'alysse blanc, le *phlox subalata*, le *phlox divaricata*, l'armérie, la saponaire, le thym ou la pervenche mineure.

C

Calamus *(Araceae)* — Aeorus calamus

On dit que les moustiques ne fréquentent pas les endroits marécageux où pousse le *calamus*, aussi appelé belle angélique.

Calcium

Les pois, les haricots, les choux et les navets aiment bien les sols qui contiennent de la chaux, mais quelques plantes — notamment celles de la famille des éricacées, comme l'azalée et le rhododendron — détestent ces sols. Les pommes de terre et certaines céréales ne se comportent pas bien dans un sol où l'on aura appliqué de la chaux immédiatement après les avoir plantées ou semées.

Les sols pauvres en calcium ne réagissent pas normalement à la culture et à l'engraissement. Très souvent, des graminées vulgaires comme le rumex petite oseille y fleurissent. Parfois, une écume verte se forme à la surface. Une analyse de sol révélant une trop grande acidité indique un manque de chaux.

Le blé noir ou sarrasin accumule le calcium et, lorsqu'il est composté ou enfoui comme un engrais vert, il enrichit le sol. Le lupin *(lupinus)* plonge ses racines à des profondeurs étonnantes, même en terrain escarpé, sur des talus de gravier ou des côteaux exposés au soleil. Le lupin ajoute du calcium au sol et peut croître dans des sols pauvres et sablonneux qui seraient impropres à d'autres usages.

Les feuilles des melons sont riches en calcium et devraient être ajoutées au tas de compost.

Camomille *(Chamomile)*

La véritable camomille — *(Matricaria matricarioïdes)* — se reconnaît au creux du fond de sa fleur et à son odeur très aromatique qu'on confond souvent avec celle de la camomille romaine *(Anthemis nobilis)*. C'est un voisin idéal pour les choux et les oignons, car la camomille augmente la saveur et la croissance de ces deux légumes. Elle doit cependant être plantée parcimonieusement : un plant tous les 50 mètres.

Le blé mélangé à de la camomille dans une proportion de 1 pour 100 poussera mieux et aura des épillets plus pleins. S'il y a trop de camomille, elle nuira à la culture.

La camomille contient une substance appelée *chamazulene*, qui a des propriétés anti-allergiques et anti-inflammatoires lorsque utilisée sous forme de tisane.

Les tisanes de camomille calmeront les bébés capricieux et elles soulageront les diarrhées et les foies engorgés. Pour soigner les sabots des animaux, appliquer des compresses chaudes d'une infusion faite d'un tiers de chacune des plantes suivantes : camomille, citronnelle et cerfeuil.

Les fleurs de camomille peuvent être posées dans le lit des chiens pour éloigner les puces. Ajouter des herbes au coussin du chien et les remplacer à l'occasion.

L'eau froide dans laquelle les fleurs auront trempé pendant un jour ou deux pourra être vaporisée pour traiter plusieurs maladies de plantes et pour contrôler l'humidité dans les serres et les chambres froides.

Un rinçage à la camomille est excellent pour les cheveux blonds. Mélanger 3 à 4 cuillerées à soupe de fleurs séchées dans un litre d'eau froide. Faire bouillir pendant 20 à 30 minutes et passer lorsque refroidi. Après le shampoing, rincer les cheveux plusieurs fois avec le mélange et ne pas rincer à l'eau froide après l'application.

La camomille contient des hormones qui stimulent la croissance des levures. Plantée en petite quantité avec la menthe poivrée, elle en augmentera les huiles essentielles.

La camomille favorise à la fois la croissance et l'augmentation de saveur des choux et des oignons. Elle a une odeur agréable et est utilisée comme agent de rinçage pour les cheveux.

Camomille maroute *(Anthemis cotula)*

Parfois appelée camomille des chiens ou camomille fétide à cause de sa mauvaise odeur, les apiculteurs en appliquent sur leur peau pour éloigner les abeilles. Elle éloigne également les puces et on peut en enduire les murs et le plancher du grenier pour éloigner les souris.

Capucine *(Tropaeolum)*

Des capucines plantées près des courges éloigneront les punaises de la courge, mais il faut planter les fleurs en premier, car les courges croissent plus rapidement. Si des aphidiens (pucerons) apparaissent sur les capucines — un signe que le sol manque de chaux — saupoudrez les plants avec de la chaux et ils disparaîtront.

Les capucines, plantées à proximité ou vaporisées, éloignent plusieurs insectes nuisibles à la croissance des fruits et des légumes. Elles améliorent la croissance et la saveur des cultures voisines.

Carotte *(Daucus carota)*

Pour obtenir des carottes bien sucrées, le sol doit comporter une quantité suffisante de chaux, d'humus et de potasse. Un excès d'azote ou une longue période de chaleur leur donnera une saveur fade.

Les oignons, les poireaux et les herbes comme le romarin, l'armoise ou la sauge éloignent les mouches de la carotte *(Psila rosae)*, dont les asticots ou larves percent les radicelles des jeunes plants. Le salsifi noir *(Scorzonera hispanica)*, aussi appelé scorsonère, est également efficace pour éloigner les mouches de la carotte. Faites-en une culture combinée. Les carottes croissent bien avec la laitue en feuilles et les tomates, mais elles ont une aversion profonde pour l'aneth. Les racines des carottes exsudent une substance utile à la croissance des pois.

Les pommes et les carottes ne doivent pas être entreposées à proximité les unes des autres, car les carottes prendraient un goût amer.

Carotte sauvage *(Daucus carota)*

Les carottes sauvages ne sont pas toujours un signe de sol pauvre, car leurs racines profondes ont besoin d'un sol propre à la culture. Une bonne récolte indique que le sol vaut la peine d'être préparé à une autre culture. Comme la carotte sauvage peut

Les carottes poussent bien avec les tomates, de même qu'avec la laitue en feuilles, la ciboulette, les oignons, les radis, le romarin et la sauge. Les autres alliés des tomates sont la ciboulette, les oignons, le persil, les asperges, les soucis et les capucines. Les tomates n'aiment pas la compagnie des pommes de terre, des choux-raves, du fenouil et des choux.

devenir envahissante, il faut en couper les plants au ras du sol immédiatement après la pollinisation. Ne les coupez pas trop vite, sinon plusieurs plants émergeront des racines.

Carvi *(Carum carvi)*

Bien qu'il soit difficile de faire germer les graines de carvi, semez-les en compagnie de pois. Après avoir récolté les pois, hersez le jardin et le carvi poussera. Il est bon de le semer dans un sol dense et humide, car ses longues racines constituent un excellent substitut pour le sous-sol. Ne faites pas pousser du fenouil à proximité.

Les Européens aiment les graines de carvi beaucoup plus que nous. Les graines sont mises dans le pain de seigle pour enrichir son arôme et pour le rendre plus digestible. On utilise aussi le carvi dans les gâteaux et dans les mets préparés avec du fromage, des pommes et du chou.

Capselle

Voir *Bourse à pasteur.*

Cataire *(Nepeta cataria)* — Herbe à chats

La cataire, plus couramment appelée herbe à chats, contient une huile — la *nepetalactone* — qui éloigne les insectes. En arrosant les plantes avec de l'eau dans laquelle l'herbe a trempé, on fera fuir les coléoptères.

La cataire dégage des éléments chimiques semblables à ceux qu'on trouve chez certains insectes. La fourmi et le phasme sécrètent des substances semblables pour éloigner leurs prédateurs : coléoptères, araignées, oiseaux et humains. La cataire fraîchement cueillie et placée à un endroit infesté fera fuir les fourmis noires. Mes chats adorent la cataire et je l'aime également en salade.

Céleri *(Apium graveolens)*

Le céleri pousse bien avec les poireaux, les tomates, les choux-fleurs et les choux. Les haricots et le céleri semblent aussi s'entraider. Certaines personnes croient que le céleri pousse particulièrement bien lorsqu'il est planté en cercle, car ses racines entrelacées constituent un endroit de prédilection pour les vers de terre et les microbes contenus dans le sol. Le céleri et le poireau poussent mieux lorsqu'ils sont plantés dans des rigoles. Le céleri et le céleri-rave contiennent tous deux une hormone qui produit un effet semblable à celui de l'insuline, ce qui fait d'eux un excellent assaisonnement pour les diabétiques ou pour quiconque doit suivre une diète à faible teneur en sodium.

Céleri-rave *(Apium gravolens rapaceum)*

Un semis de vesce d'hiver est utile avant de planter les céleris-raves, car ils ont besoin d'un sol riche, léger et contenant beaucoup de potassium. Le poireau, qui demande aussi du potassium, voisine bien en rangs alternés avec les haricots rouges.

Le céleri-rave ne demande pas autant de soins que le céleri, mais il est utile d'enlever les petites racines et le sol qui y est rattaché lorsque les racines commencent à se développer autour de la couronne. Les racines latérales qui se développent près du dessus de la couronne peuvent rendre la chair irrégulière et grossière.

Cendres de bois

Des cendres saupoudrées autour de la base des plants de choux-fleurs et d'oignons constituent un remède populaire contre les asticots. Elles sont également efficaces contre les hernies des légumes, les araignées rouges, les chrysomèles du haricot, la gale des navets et des betteraves, ainsi que pour contrer les aphidiens (pucerons) sur les pois et la laitue. Elles sont aussi utiles autour des plants qui doivent développer de longues tiges, comme le maïs.

Un pâte faite de cendres et d'eau appliquée sur les troncs d'arbres éloignera les insectes térébrants. Une poignée de cendres et de chaux diluée dans 8 litres d'eau et vaporisée sur les feuilles des cucurbitacées contrôlera les chrysomèles du concombre.

Que sont les cendres ? La nourriture des arbres provient de l'air et du sol. Asséchez un morceau de bois et l'eau s'en va ; brûlez-le et les cendres restent. L'eau et les cendres viennent du sol. Ce qui vient de l'air se transforme en brûlant en matière gazeuse. La grande quantité de carbone que contient l'arbre est absorbée par les feuilles sous forme de gaz carbonique. Le sol fournit pour sa part différents minéraux qui sont amenés aux arbres par la sève et qui restent dans les cendres de bois.

Centaurée bluet *(Centaurea cyanus)* — Bleuet

Dans une proportion de 1 pour 100, la centaurée bluet est bénéfique à la croissance du seigle et des autres céréales. Les

La centaurée à fleurs bleues, ou bleuet, approvisionne les abeilles en nectar même par les temps les plus secs. Elle est utile, en proportion limitée, à la croissance du seigle.

41

paysans russes avaient pour coutume de décorer la première gerbe de seigle d'une guirlande de centaurées et de la placer au pied d'une icône. La centaurée à fleurs bleues est également un bon pourvoyeur de nectar pour les abeilles, même pendant les périodes de sécheresse.

Au Québec, on désigne plus souvent sous le nom de bleuet plusieurs espèces d'airelles *(vaccinium)*.

Cerfeuil *(Anthriscus cerefolium)*

C'est l'une des rares herbes qui pousse mieux en milieu semi-ombragé. Rosette E. Clarkson mentionne que le cerfeuil profite de l'ombre créée autour de lui par des plants plus grands. Elle dit également qu'il supporte mal la transplantation. Le cerfeuil voisine bien avec les radis, dont il favorise la croissance et le développement de la saveur.

Cerise de terre *(Physalis heterophylla)*

Lorsque plantées en grand nombre près des étables ou des granges, les cerises de terre éloigneront les mouches et les papillons blancs.

Cerisier *(Prunus avium)*

Le blé est étouffé par les racines des cerisiers et les pommes de terre plantées dans leur voisinage seront moins résistantes à la flétrissure.

Cerisier de Pennsylvanie

Voir *Petit merisier.*

Champignons *(Fungi)*

Les champignons sont des plantes dépourvues de chlorophylle. Certains sont très utiles et même comestibles, d'autres sont très nuisibles.

Les champignons que nous connaissons — les comestibles (non vénéneux) — ont une affinité naturelle avec les plantes des bois, des champs et des pâturages. La partie visible du champignon n'est qu'une petite partie de la plante. La plus grande partie se trouve dans le sol où elle forme un fouillis de filaments ramifiés

42

qu'on appelle le mycélium. Le champignon lui-même est le fruit ou la partie reproductrice de la plante. Dans de bonnes conditions d'humidité et de température, il pousse très facilement.

Ma belle-sœur a un jour rapporté des morilles qui venaient de la ferme de son père. Elle les apporta dehors pour les arranger et jeta les parures sous un pommier. Quelque temps plus tard, elle fut très surprise de constater qu'il y poussait des morilles en abondance. Les morilles continuèrent de pousser pendant plusieurs années.

Les délicieuses morilles sont assez abondantes en Amérique du Nord. Le fruit comestible pousse au-dessus du sol et ressemble à une éponge. Pour cette raison, elles sont très faciles à identifier et relativement sûres pour ceux qui en font la cueillette. On les trouve souvent dans les vergers, sous les pommiers en fleurs.

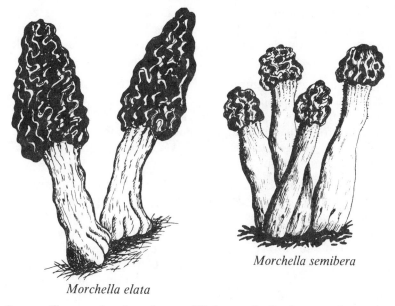

Morchella elata

Morchella semibera

Les morilles sont des champignons délicieux et faciles à reconnaître, qu'on trouve souvent dans les vergers au moment de la floraison.

La truffe est un autre type de champignon comestible qui pousse quelques centimètres sous le sol et qui reste invisible. On la trouve surtout en Espagne, en Angleterre, en Italie et en France où elle pousse sous les chênes et les marronniers. On utilise des chiens ou des porcs spécialement entraînés, qui les trouvent par l'odeur. Si vous voyez en France un fermier tenant un cochon en laisse, ne soyez pas étonné ; il cherche simplement des truffes, qui se vendent d'ailleurs à des prix exorbitants.

À cause de leur association avec les chênes et les marronniers, les chercheurs croient que les truffes aident les racines des arbres à assimiler les produits chimiques contenus dans le sol. Le diamètre d'une truffe peut varier de 1 cm à 4 cm et elle peut avoir l'aspect d'un gland, d'une noix ou d'une pomme de terre. Les spores sont contenues dans la truffe. C'est un champignon à la saveur délicate qu'on utilise souvent comme condiment. Les truffes noires décorent très joliment une salade.

Les champignons des racines des arbres ont été observés dès 1885 par le botaniste allemand A.B. Frank. Il croyait que l'eau et les éléments nutritifs pénétraient dans les arbres par les champignons. On sait aujourd'hui que les champignons établissent le lien entre les radicelles des arbres et le sol. Les racines des arbres, en échange, fournissent aux champignons des substances essentielles pour qu'ils puissent compléter leur cycle de vie.

Plusieurs champignons sont vénéneux et les personnes inexpérimentées ne devraient jamais en faire la cueillette dans le but de les consommer. Les amanites, parfois appelées les anges destructeurs, peuvent causer la mort en moins de six heures. Malgré tout, certains champignons vénéneux favorisent la croissance de plusieurs autres plantes.

Les mildious sont des champignons qui peuvent être très nuisibles et difficiles à contrôler lorsqu'ils se forment sur les plantes. Leur présence est généralement due à l'humidité. Ils s'attaquent aux vignes, à la laitue, aux tomates, aux roses, aux pois, au tabac, aux pommes de terre, aux concombres et à plusieurs fruits et légumes en formant une poudre blanche ou grise sur la surface de leurs feuilles. J'ai remarqué qu'il était possible de contrôler partiellement ces champignons avec du soufre en poudre. Le meilleur remède est cependant un bon ensoleillement et une bonne circulation d'air.

Le charbon est une maladie amenée par certains types de champignons. Il s'attaque aux céréales comme le blé, l'orge, le seigle, le maïs et l'avoine. Lorsqu'il apparaît, il se forme un gros sac ou une tumeur parmi les grains des épis de maïs. Le sac contient une grande quantité de spores noires.

Le charbon agit différemment selon la plante hôte. Le mycélium, qui croît parmi les cellules de la plante, entraîne un gonflement. Les spores se développent à l'intérieur et sont projetées dans l'air lorsque le gonflement éclate.

Contrairement aux spores des autres champignons qui s'attachent aux grains, les spores du charbon survivent dans le sol tout l'hiver. Il est donc très difficile à contrôler. Au printemps, de nouvelles espèces de spores renaissent et réinfectent le plant de maïs. Le traitement des semences est rarement efficace contre cette maladie. La meilleure solution est la rotation des cultures et le développement d'une variété de maïs plus résistante au charbon.

Champignons d'humidité

Les champignons d'humidité présents dans le sol causent une maladie qui tue plusieurs jeunes plants. Elle se caractérise par le fléchissement des tiges ou par la chute des graines. Cela peut arriver avant ou après la germination. Pour contrer cette maladie, on doit réchauffer la terre des pots dans lesquels les graines sont semées à 85 °C pendant une demi-heure ou une heure. Le jardinier amateur pourra réchauffer la terre au four. Mettre 10 cm à 13 cm de terre dans un plat et y enterrer une petite pomme de terre de 4 cm de diamètre. Faire chauffer à 95°C, jusqu'à ce que la pomme de terre soit cuite. Le sol sera alors stérilisé et prêt à être utilisé.

Chanvre cultivé *(Cannabis sativa)*

En Hollande, au 18e siècle, il n'était pas rare de voir des bordures de chanvre autour des champs de choux pour protéger ces derniers contre les papillons blancs du chou. Le chanvre a un effet protecteur sur la croissance des plantes à cause de la substance qu'il dégage et qui nuit à la croissance de certains micro-organismes pathogènes. Il n'est plus permis aujourd'hui de faire pousser le chanvre ou marijuana.

D'après des renseignements obtenus des Amérindiens, il semble que ceux-ci ont cultivé cette plante pendant plusieurs siècles en Amérique, et particulièrement au Québec.

Chardon *(Circium)*

Tous les chardons sont riches en potassium. Leurs feuilles piquantes les rendent cependant impopulaires dans les pâturages et certaines espèces volent la nourriture et l'humidité des graminées. Pour éliminer les chardons, il faut les couper après que les fleurs sont ouvertes, sinon il en poussera d'autres par la racine. En coupant les fleurs après la pollinisation, la plante perdra sa sève et mourra.

Chêne *(Quercus)*

Les chênes plantés avec des marronniers à noix de cheval *(aesculus hippocastaneum)* semblent les aider à résister à la rouille. Pendant leur croissance, les chênes accumulent une grande quantité de calcium dans leur écorce et, phénomène curieux, les cendres des chênes contiennent plus de calcium que le sol dans lequel ils ont poussé.

Un paillis de feuilles de chêne protégera les radis et les navets contre les asticots tout en éloignant les limaces, les chenilles et les larves des insectes mangeurs de feuilles qui sont présents dans les jardins à la fin du printemps. Certains jardiniers croient cependant que ces feuilles ont un effet négatif sur certains légumes et qu'elles devraient être compostées avant d'être répandues sur le jardin.

En Allemagne, on a longtemps combattu les insectes de serre comme les fourmis, les aphidiens (pucerons) et les mites avec de la fumée de feuilles de chêne. La fumée n'étant pas toxique, elle ne détruira pas les bactéries contenues dans le sol et ne laissera pas de résidus nocifs.

La guêpe trichogramme, dont la larve se nourrit des œufs de lépidoptères, aide les chênes à rester verts en contrôlant les spongieuses. Le bacille thuringiensis contrôlera et tuera les chenilles sur les arbres.

Chénopode blanc *(Chenopodium album)*

Cette plante, communément appelée chou gras, est une plante annuelle très résistante qui produit une quantité phénoménale de graines qui peuvent végéter dans le sol pendant des décennies. Elle compte parmi les plantes qui suivent les traces de l'homme et de l'agriculture, car elle préfère les sols bien engraissés.

Le chénopode blanc est stimulé par la proximité des pommes de terre et peut être planté en quantité limitée, particulièrement avec le maïs. Il aide également les concombres, les cantaloups, les citrouilles et les melons d'eau. Il donne de la vigueur aux zinnias, aux soucis, aux œillets d'Inde, aux pivoines et aux pensées.

Cette plante, qui ressemble à l'épinard, est aussi comestible. Les jeunes pousses peuvent être coupées et mangées comme des asperges. Comparé à l'épinard, le chénopode est plus riche en vitamines A et C et moins riche en potassium et en fer. Il est tout de même une bonne source de ces minéraux et est exceptionnellement riche en calcium.

Le chénopode est une plante rustique que tous devraient connaître. On la retrouve partout et les plantes sont prêtes à être mangées de la fin du printemps jusqu'aux premières gelées. Il pousse même dans les Andes à des altitudes de plus de 3 500 mètres. Pour cette raison il est devenu un très bon substitut du seigle et de l'orge, qui ne survivent pas à de telles altitudes.

Pendant longtemps, au Québec, on a nourri les porcs avec cette plante.

Chiendent *(Agropyron repens* ou *Triticum repens)*

L'apparition du chiendent indique la formation d'une croûte ou d'un sol très compact. Étouffez-le en semant du millet, des fèves de soya ou des pois lorsque le temps est chaud et sec et que le sol est bien cultivé. Deux cultures successives de seigle auront le même effet.

Une forte concentration de sel (saumure) détruira le chiendent si elle est appliquée sur de l'herbe fraîchement coupée lorsque le temps est sec et chaud. La sécheresse fera flétrir les racines si elles sont amenées à la surface. On peut l'arracher à la main lorsqu'il n'y a que quelques plants.

Comme la plupart des plantes, le chiendent n'est pas exclusivement mauvais. Il sert de pâture aux animaux et, à cause de sa vigueur, il fait un bon couvre-sol pour les ravins en bordure des routes et aux autres endroits où la plupart des plantes ne peuvent survivre. Même s'il est difficile de s'en débarrasser, il prépare le sol à de meilleures cultures. Curieusement, c'est au blé qu'il ressemble le plus.

Chilo iridescent

Ce virus, qui a fait l'objet de recherches à la station expérimentale de l'Arkansas, s'est révélé comme étant stable et efficace contre le sphynx du tabac et de la tomate.

Chlorophylle

Une équipe de chercheurs de l'université de Duke s'est intéressée aux raisons pour lesquelles certaines plantes cherchent la lumière, d'autres l'ombre, d'autres les climats chauds et d'autres les climats plus froids. Cette recherche a été faite en calculant la quantité exacte de deux pigments à des températures variées : la chlorophylle *a* et la chlorophylle *b*. Ces pigments sont responsables de la capacité du chloroplaste à capter la lumière. La température semble affecter les proportions relatives des deux pigments. Ces proportions affectent à leur tour la quantité et la composition des unités de photosynthèse et, par conséquent, influencent la capacité de la plante à capter la lumière du soleil pour la transformer en sucs.

Cette découverte a une grande importance, car elle permettra sans doute un jour de façonner un environnement spécifique pour améliorer la photosynthèse des cultures les plus utiles à l'alimentation. De nouvelles espèces pouvant pousser dans des climats chauds ou froids pourront également être développées.

Chou *(Brassicaceae)*

La famille des choux comprend également les choux-fleurs, les choux frisés, les choux-raves, les choux verts et les choux de Bruxelles, ainsi que les rutabagas et les navets. Même si chacune des plantes de ce groupe a été développée d'une façon spécifique, elles sont toutes sujettes aux mêmes sympathies ou antipathies, aux mêmes insectes et maladies.

L'hysope, le thym, l'absinthe et l'armoise éloignent le papillon blanc du chou.

Tous les membres de la famille du chou profitent de la proximité des plantes aromatiques et des plantes qui produisent beaucoup de fleurs, comme le céleri, l'aneth, la camomille, la sauge, la menthe poivrée, le romarin, les oignons et les pommes de terre.

Les choux détestent les fraises, les tomates et les haricots grimpants. Tous les membres de la famille des choux sont gourmands et exigent un sol bien engraissé avec une grande quantité de compost ou d'engrais de vache bien décomposé. Un paillis pourra être utile si le sol a tendance à sécher lorsqu'il fait chaud. On arrosera la terre si nécessaire.

Les choux et les choux-fleurs sont sujets aux hernies. Si cela se produit, transplantez-les dans un autre coin du jardin. Creusez un trou de 30 cm et ajoutez un engrais bien décomposé au sol. Faites la rotation des cultures tous les deux ans.

Si les plants de choux et de brocolis ne poussent pas bien, c'est un signe que le sol manque de chaux, de phosphore et de potassium. Un carence en bore peut faire mourir le cœur des choux.

Si les lapins ou les lièvres rongent vos choux, plantez n'importe quel membre de la famille des oignons autour des plants. Vous pouvez également saupoudrer de la cendre, de la poudre d'aloès ou de cayenne sur les choux.

Chou chinois *(Brassica chinensis)*

Ce légume pousse très facilement et gagnerait à être mieux connu en Amérique. Il constitue l'une des plus vieilles cultures en Chine. Je fais pousser les deux types : celui qui a une tête longue et élancée et l'énorme chou de Savoie *(Burpee)* qui donne une tête

En général, les papillons ne sont pas nuisibles et peuvent même aider à la pollinisation des plantes. Ce sont leurs chenilles qui font du tort aux vergers et aux cultures. Le papillon blanc du chou (piéride) est sans doute le plus destructeur d'entre eux. Certaines herbes le tiendront éloigné : la menthe poivrée, le romarin, la sauge, le thym et l'armoise.

ronde. J'ai découvert que le chou chinois pousse très bien lorsqu'il est planté à des intervalles de 60 cm en alternance avec des choux de Bruxelles ou des choux-fleurs.

Le chou chinois compte peu d'ennemis parmi les insectes, mais il ne doit pas être planté près du maïs, car les pyrales du maïs l'infesteraient.

Le chou chinois est bon pour les jardins d'automne et se comporte bien lorsqu'il est planté en alternance avec des choux de Bruxelles.

Chou-fleur *(Brassicaceae)*

La piéride du chou *(Pieris rapea)* restera éloignée si le chou-fleur est planté avec le céleri. Le chou-fleur n'aime pas les tomates et les fraises. Une substance extraite des graines de chou-fleur rendra inactive la bactérie qui cause la pourriture noire.

Chou frisé *(Brassica oleracea acephala)*

Cette culture s'accomode bien du froid et traversera la plupart des hivers si on lui accorde un minimum de protection.

Le chou frisé voisine bien dans un même rang avec le chou tardif ou les pommes de terre. S'il est planté tardivement après les haricots et les pois, il continuera à pousser jusqu'aux grandes gelées. Un peu de gel ne lui fait pas de mal et peut même améliorer sa saveur.

Chou gras

Voir *Chénopode blanc.*

Chou-navet *(Brassica napus)* — Chou de Siam ou Rutabaga

Le chou-navet est une plante annuelle cultivée pour ses feuilles et bien sûr sa racine. On l'utilise à l'occasion pour nourrir les animaux. À cause de ses longues racines, il ameublit la terre et lui permet de mieux se drainer, la laissant ainsi plus friable et prête pour des cultures plus utiles. Il aide à regénérer les sols endommagés par une surabondance de fertilisants minéraux.

Le délicieux chou-navet croît bien dans des lieux froids et humides. Il résiste bien au froid et on le plante en automne dans le sud des États-Unis et en été dans les endroits plus au nord.

Ne plantez pas les choux-navets près d'un sisymbre officinal (roquette ou vélar) ou de la moutarde des champs, car ils nuiront tous deux à sa croissance.

Chou-rave *(Brassicaceae)* — Kohl Rabi

Le chou-rave profite de la compagnie des oignons, des betteraves, des plantes aromatiques et des concombres, car ils n'occupent pas la même couche de terre. Il déteste les fraises, les tomates et les haricots grimpants, mais il protège les membres de la famille de la moutarde.

Cette plante demande beaucoup d'eau et de compost. Elle pousse mieux sous un soleil filtré.

Chou-vert *(Brassica oleracea)*

Une université américaine a démontré que les choux-verts profitent du voisinage des tomates, qui éloignent la puce, leur principal ennemi.

Les choux-verts poussent abondamment dans toutes les régions et ils sont plus nourrissants que les autres choux. Leur saveur est améliorée par le gel.

Chromatographie

Cette technique de laboratoire fort utile consiste à séparer les constituants d'un mélange dans un tube en verre rempli de matières absorbantes comme l'alumine, le silice et la cellulose.

La première substance à être analysée est versée en solution sur les matières absorbantes qui forment une colonne dans le tube. Les composants de l'échantillon sont absorbés près du sommet de la colonne.

Le chimiste ajoute ensuite un solvant pour nettoyer la colonne des composants laissés par l'échantillon. Il doit choisir un solvant qui affecte la substance analysée sans affecter les matières qui forment la colonne. Les composants descendent à travers la colonne à des vitesses différentes pour finalement se séparer en zones ou en bandes distinctes. Après cette étape, il est possible d'identifier et de mesurer la quantité de chaque composant. Si les composants sont colorés, ils apparaîtront en bandes de couleur.

La chromatographie a été utilisée pour comprendre pourquoi les concombres aiment les haricots et pourquoi les haricots détestent le fenouil. On tira des extraits de ces plantes et on fit un chromatogramme de chacun individuellement, puis sur des mélanges. Les haricots, les concombres et le fenouil ont donné individuellement un chromatogramme détaillé tant par la forme que par la couleur. L'analyse du mélange concombres-haricots a donné un chromatogramme mettant en valeur tous les bons éléments de chacun d'eux. La forme particulière du chromatogramme des haricots était toujours présente, mais ses caractéristiques étaient intensifiées. L'analyse du mélange haricots-fenouil a donné un chromatogramme très flou.

Le Dr Ehrenfried E. Pfeiffer, qui a mis au point la méthode sensitive de cristallisation, a effectué de telles analyses sur plusieurs substances différentes incluant les fertilisants chimiques et les composts. Les chromatogrammes tirés des fertilisants chimiques étaient ternes, tandis que ceux faits à partir des composts étaient très colorés. Est-ce attribuable aux micro-organismes vivant dans le compost ? Cela semble logique.

Il est possible de faire un chromatogramme spécifique pour déterminer pourquoi une plante profite ou souffre du voisinage d'une plante d'espèce différente.

Ciboulette *(Allium schoenoprasum)*

La ciboulette est un bon voisin pour les carottes, dont elle favorise la croissance et le développement de la saveur. Plantée dans les vergers, elle les protégera de la gale. En infusion, elle peut protéger les concombres et les groseilles contre le mildiou.

Cinéraire *(Cineraria)*

Plantez la cinéraire autour des fleurs coûteuses pour en éloigner les lapins et les autres animaux. Il semble que la variété *candidissima* soit la plus efficace et la plus jolie.

Cire

L'évaporation ferait mourir de nombreuses plantes si elles n'avaient pas une surface imperméable. Cette imperméabilité est obtenue grâce à la cire produite à l'intérieur des feuilles et qui s'étend sur toute leur surface pour former une couche protectrice parfois luisante. La cire ne ferme pas tous les pores et permet l'échange d'air et de gaz. La poussière peut cependant boucher ces pores. C'est pourquoi, il est important de nettoyer les plantes intérieures.

Selon la plante, la couche de cire des feuilles sert à différents usages. Elle peut protéger la plante chimiquement contre certains types de champignons, mais encourager la croissance d'autres types. Elle peut aussi faire glisser les sporanges avant qu'ils aient pu prendre prise — une autre bonne raison pour nettoyer les plantes d'intérieur. La cire de certaines feuilles dégage des odeurs et des saveurs caractéristiques.

Une étude menée par la station expérimentale d'agriculture du Connecticut sur la famille des choux démontre qu'une trentaine de composantes forment la cire qui rend leurs feuilles si brillantes et si imperméables. Les recherches se font maintenant sur la formation de la cire.

Citronnelle

Voir *Mélisse.*

Citrouille

Voir *Potiron.*

Climat

Comme le climat varie beaucoup à travers le monde, il faut toujours tenir compte du climat local lorsqu'on planifie un jardin. La température maximale de l'été et la température minimale de l'hiver doivent être prises en considération, de même que les précipitations annuelles. Pour obtenir de bons résultats, concentrez-vous d'abord sur les plantes recommandées pour votre région. Elles constitueront la base de votre jardin. Ensuite, vous pourrez vous amuser à expérimenter chaque année quelques nouvelles plantes qui conviennent à des climats plus chauds ou plus froids. En les abritant ou en créant un micro-climat, vous pourrez réussir. Des éléments propres à votre terrain, comme un étang ou une pièce d'eau, vous permettront peut-être de cultiver des plantes que votre voisin ne réussit pas à faire pousser. Des paillis gardant la terre froide pourront être utiles à certaines plantes. L'humus permet d'améliorer le sol et rend possible la croissance de certains légumes ou plantes qui, jusque-là, ne poussaient pas bien. Une protection contre l'hiver aidera au nord, tandis que la création d'endroits ombragés et de coupe-vent sera bénéfique au sud.

Coccinelle

Ces mangeurs d'aphidiens (pucerons) peuvent être introduits par l'homme dans un jardin. Dans les petits jardins, le problème est de les garder. S'il y a réellement un besoin et si elles trouvent de la nourriture, elles resteront.

La façon de les disséminer fait toute la différence. Ne jetez pas les coccinelles comme des graines, mais placez-les plutôt par poignées autour de la base des plants infestés. Leur instinct naturel les fera grimper à l'endroit le plus proche en quête de nourriture. Manipulez-les délicatement, car les mouvements brusques — surtout lors des journées chaudes — les inciteront à s'envoler. Il est préférable de les disséminer tôt le matin ou tard le soir.

Le chénopode ou chou gras, qui est parfois l'hôte des mangeurs de feuilles, pourra aussi accueillir des coccinelles. Les coccinelles nouvellement placées sur une plante (chou chinois, chou ou autre) doivent trouver des aphidiens en quantité suffisante pour rester en place et se reproduire. Une femelle peut engendrer de 200 à 1 000 descendants.

Au printemps, vous verrez sous les feuilles les œufs des coccinelles près de leur future nourriture, les aphidiens. Ils sont généralement de couleur jaune ou orangée, en grappes de 5 à 50. La larve affecte la forme d'un alligator ; elle est de couleur bleu nuit avec des points orangés.

Coccinelle noire

Ces petits cousins noirs de la coccinelle sont utiles contre les pucerons des arbres fruitiers. Ces coccinelles consomment en moyenne 11 pucerons (larves ou insectes adultes) à l'heure.

Colchique d'automne *(Colchicum automnale)*

Cette plante, qu'on appelle aussi crocus d'automne, fleurit à l'automne, même si ses bulbes toxiques sont déterrés. Le colchicum qu'on extrait des bulbes est employé en pharmacie pour traiter la goutte. Il est également employé pour doubler le nombre de chromosomes des plantes.

Compost

Le compost se compose de matières organiques décomposées qui ont reçu assez de chaleur pour détruire les graines des mauvaises herbes. Des préparations végétales peuvent être utilisées pour accélérer et influencer le processus de fermentation, même en petites quantités. Lorsque les conditions le permettent, les vers de terre entrent dans le tas de compost et assistent les micro-organismes dans le processus de décomposition.

Certaines plantes, comme l'ortie brûlante, peuvent être utilisées pour accélérer ou favoriser la fermentation des tas de compost ou d'engrais. C'est une plante qui regénère le sol et, comme la consoude, ses proportions d'azote et de carbone sont similaires à celles des engrais de basse-cour. Les orties contiennent également du fer.

Les plantes contenant des minéraux et pouvant être ajoutées au compost sont : le pissenlit, qui tire 2 à 3 fois plus de fer du sol que les autres plantes ; la sanguisorbe, riche en magnésium ; l'oseille, qui capte le phosphore ; la chicorée, la potentille ansérine et la renoncule bulbeuse, qui accumulent le potassium. La prêle des marais ainsi que le plantain et la vesce détiennent la plus grande capacité à capter le cobalt. Les chardons contiennent un peu de cuivre.

Le compost est le meilleur fertilisant pour les herbes et les légumes du jardin. Il est particulièrement efficace si les mauvaises herbes ont été mises dans le tas au lieu d'être détruites. Compostez toutes les mauvaises herbes du jardin et les ordures ménagères, particulièrement si vous utilisez beaucoup de fines herbes pour faire la cuisine.

Toutes les matières organiques peuvent être ajoutées au compost, mais les résidus ligneux se décomposeront plus rapidement s'ils sont d'abord écrasés, hachés et mélangés à de l'herbe coupée. Les feuilles mortes font un bon compost, mais comme elles ont tendance à se tasser, on devrait les mélanger à autre chose. Un compost trop tassé forme une masse compacte qui manque d'oxygène et devient vite sur et graisseux.

Lorsqu'on prépare un tas de compost, il est important de creuser la terre pour que les vers puissent entrer rapidement dans le tas. Mélangez du gazon au compost. Faites un tas d'environ 2 mètres de haut avec des côtés droits et un dessus légèrement concave. Le tas doit rester humide et pouvoir se réchauffer pour que les graines des mauvaises herbes soient détruites. Plus vite il réchauffera, plus vite le tas pourra être retourné et empilé à nouveau.

La térébenthine qui tombe des aiguilles des conifères peut retarder la fermentation. Les bouleaux situés à proximité favoriseront la fermentation, même si leurs racines pénètrent dans le tas de compost. Il est quand même préférable de laisser un espace d'au moins 2 mètres entre le tas de compost et les arbres.

Concombre *(Cucumis sativus)*

Les concombres éloignent les ratons laveurs ; ils font donc d'excellents voisins pour le maïs. Le maïs pour sa part semble protéger le concombre contre le virus de la flétrissure. De fines languettes de concombres éloigneront les fourmis.

Les concombres aiment également la compagnie des haricots, des pois, des radis et des tournesols. Comme ils préfèrent l'ombre, ils pousseront bien dans les jeunes vergers. Semez 2 ou 3 graines de radis à la base des plants de concombres pour éloigner la chrysomèle du concombre. Ne récoltez pas les radis, mais laissez-les pousser, fleurir et même monter en graine. Les chrysomèles peuvent être piégées en mettant un bol rempli aux trois quarts d'eau additionnée d'un peu d'huile.

Si les concombres sont attaqués par des nématodes, vaporisez-les avec de l'eau sucrée. Je fais bouillir une demi-tasse de sucre dans 2 tasses d'eau en remuant jusqu'à dissolution complète. Laisser refroidir et diluer dans 8 litres d'eau. Aussi étrange que cela puisse paraître, le sucre tue les nématodes en les asséchant. Ce mélange attirera également les abeilles, assurant ainsi la pollinisation et une magnifique récolte. Cette technique est utile même s'il n'y a pas de nématodes.

Les champignons sont aussi des ennemis des nématodes. Si vous suspectez leur présence, engraissez le sol. En vaporisant une solution à base de ciboulette ou de prêle des champs, on évitera le mildiou duveteux sur les concombres (voir *Prêle des champs*).

Les concombres détestent les pommes de terre et les pommes de terre qui croissent près des concombres seront plus vulnérables aux pucerons. Il faut donc garder ces deux cultures éloignées l'une de l'autre. Les concombres n'aiment pas non plus les herbes aromatiques.

Les chercheurs William Duke et Alan Putnam du Michigan ont découvert que certaines variétés de concombres combattaient les mauvaises herbes en dégageant une substance toxique. Ce procédé naturel d'allélopathie est semble-t-il héréditaire.

Des essais ont été faits pour inoculer à des cultures commerciales cette résistance aux mauvaises herbes, tout comme on a fait pour la résistance aux insectes et aux maladies. On cherche aujourd'hui à isoler les gènes qui produisent cette substance répulsive aux mauvaises herbes.

Conifère *(Coniferae)*

La térébenthine qui tombe des aiguilles des conifères retarde le processus de fermentation des tas de compost. Des oignons plantés en alternance avec les conifères empêchera les dommages causés par les écureuils qui mangent les bourgeons des pins blancs et rouges. Les oignons égyptiens sont les plus efficaces.

Les aiguilles de pin font un excellent paillis et augmentent la force des tiges, la saveur et la productivité des fraisiers. En général, les conifères ont un mauvais effet sur la croissance du blé, puisque la pluie en fait tomber une substance qui freine la germination des graines.

Des oignons plantés près des pins et des autres arbres limiteront les dommages causés par les écureuils.

Consoude *(Symphytum officinale)*

La consoude est riche en calcium, en potassium, en phosphore et en vitamines A et C. Une ancienne croyance prétendait qu'une préparation à base de consoude ingérée ou appliquée comme cataplasme pouvait accélérer la guérison des fractures des os.

Il est possible que les éléments nutritifs contenus dans la consoude accélèrent le processus de guérison, surtout depuis que l'on sait que cette herbe contient de l'*allantoine*, une substance qui raffermit les parois des organes creux.

Les toutes premières feuilles cueillies au printemps sont comestibles. Les feuilles de la consoude sont idéales pour les tas de compost, puisqu'elles ont une proportion de carbone et d'azote semblable à celle des engrais de basse-cour.

Coréopsis *(Coreopsis)*

Dans une plate-bande, les coréopsis sont utiles pour éloigner les insectes des plantes avoisinantes. C'est aussi une belle plante annuelle de la famille des composées, dont les fleurs jaunes, rouges ou marron poussent sur de longues tiges minces. Les fleurs de coréopsis ressemblent aux marguerites avec plusieurs couches de pétales.

Coriandre *(Coriandrum sativum)*

La coriandre a la réputation d'éloigner les aphidiens (pucerons) et d'être immunisée contre eux. Elle favorise la germination de l'anis, mais gêne celle du fenouil. En fleurs, la coriandre attire les abeilles.

Plusieurs personnes trouvent désagréable l'odeur des feuilles et des graines fraîches de coriandre. Lorsque les grains sont mûrs, ils dégagent toutefois un parfum agréable qui s'intensifie en séchant. Les graines savoureuses, parfois enrobées de sucre, sont utilisées sur les pains et pour aromatiser les viandes.

Comparée au persil, la coriandre contient quatre fois plus de carotène, trois fois plus de calcium, plus de protéines, de minéraux, de riboflavine, de vitamine C et de niacine. L'huile de coriandre est utilisée en médecine pour soigner les nausées.

Coupe-vent

Avant de planter un coupe-vent, étudiez votre terrain et plantez-le où il sera le plus utile. Considérez la direction des vents dominants et l'emplacement des bâtiments par rapport à l'endroit que vous voulez protéger. Le plus souvent, les coupe-vent sont plantés du côté nord-ouest d'une propriété, mais il y a des exceptions à cette règle.

Ne plantez pas les écrans trop près du jardin, car les arbres et les arbustes prendront l'humidité et les éléments nutritifs du sol. Si le terrain le permet, plantez les coupe-vent à au moins 15 mètres des cultures.

Le facteur de protection d'un coupe-vent est de 20 fois sa hauteur. Un écran de 3 mètres protégera donc sur une distance de 60 mètres Les quelques mètres *à l'avant* du coupe-vent seront aussi protégés parce que l'air s'accumule et agit comme un mur invisible devant la rangée d'arbres. Les coupe-vent permettent aussi de retenir le sol lors des vents violents et d'empêcher la neige de s'amonceler sur les trottoirs et allées. Ils peuvent également contribuer à réduire les factures de chauffage.

Dans les prairies, les ceintures d'arbres ont une influence marquées sur le climat, spécialement lorsqu'elles sont placées à angle droit par rapport aux vents dominants. Une chaîne de telles ceintures ralentira la vélocité des vents et améliorera le climat de la région. En augmentant l'humidité de l'air, ces influences favoriseront la croissance des cultures.

Courge *(Cucurbitaceae)*

Deux ou trois plants de radis à la base des plants de courge ou de concombre éloigneront les insectes. Laissez-les pousser et monter en graine. Les capucines éloigneront les punaises de la courge, tout comme les cendres de tabac si elles sont placées avec les graines lors des semences. En semant les courges plus tôt que d'habitude, on évitera souvent les dommages causés par les insectes.

Tôt dans la journée, avant que le soleil frappe fort, les punaises sont paresseuses et peuvent être enlevées à la main. Il y a également des hybrides de courges qui résistent aux insectes (voir *Légumes résistant aux insectes*).

Crapaud *(Bufo)*

Les crapauds et les grenouilles mangent beaucoup d'insectes. Un seul crapaud peut manger jusqu'à 10 000 insectes en trois mois, dont plusieurs noctuelles. Les crapauds mangent aussi d'autres insectes, comme les criquets, les asticots, les scarabées du rosier, les chrysomèles du rosier, les chenilles, les fourmis, les punaises de la courge, les cloportes, les doryphores de la pomme de terre, les mites, les moustiques, les mouches et les limaces.

Les crapauds ne causent pas de verrues et ne sont pas vénéneux pour l'homme, même s'ils exsudent une bave désagréable pour leurs ennemis. Si vous voulez quelques crapauds pour votre jardin, cherchez-en sur les bords des étangs et des marais au printemps. Lorsque vous les aurez capturés, ils auront besoin d'une cachette et d'un point d'eau. Un pot de fleurs inversé muni d'une petite ouverture sur le côté et légèrement enfoncé dans le sol à un endroit ombragé leur servira de maison. Ils auront besoin d'un plat peu profond rempli d'eau et, si le terrain n'est pas clôturé, d'une protection contre les chiens ou les autres animaux.

Culture à la verticale

Si votre jardin est clôturé, vous pouvez en accroître la productivité tout en améliorant son apparence. Plusieurs plantes aiment grimper, comme les concombres *(Burpless)*, qui deviennent plus longs et plus droits s'ils sont appuyés contre une clôture. Les haricots rouges grimpent rapidement et sont délicieux en plus d'être jolis.

Les gloires du matin et les haricots vont bien ensemble et les rosiers grimpants s'accommodent bien des courges. Lorsque les rosiers auront terminé leur floraison, les courges seront en fleurs et les fruits apparaîtront sans qu'aucun dommage ne soit fait aux rosiers. Certaines courges peuvent être vidées et séchées pour faire de jolies cabanes d'oiseaux.

Vous pouvez utiliser une technique orientale pour dissimuler l'écorce noire des pins en faisant grimper des clématites, particulièrement l'espèce *virginiana*, qui forme des grappes de fleurs duveteuses à l'automne.

À défaut de clôture, faites un wigwam avec 4 bâtons liés ensemble au sommet avec des fils de fer. Attachez lâchement les plantes aux bâtons. Lorsqu'elles atteindront le sommet des bâtons, pincez les bourgeons des plantes pour qu'elles s'étendent en largeur. Cette technique convient bien aux courges grimpantes. La structure sera bientôt couverte de masses de fleurs, de belles feuilles vertes et de courges.

Culture en alternance

C'est l'essence même du principe de voisinage des plantes, qui consiste à cultiver plusieurs espèces de légumes dans le même espace ou le même rang. Cette technique n'est pas réservée aux légumes. Les herbes et les fleurs peuvent aussi se côtoyer avec bonheur.

Si votre jardin est petit et que vous ne voulez pas avoir d'espaces libres entre vos rangs de pois et de haricots, alternez-y des brocolis, des choux de Bruxelles, des choux, des choux-fleurs et même des radis ou des carottes. Lorsque les pois et les haricots auront été récoltés, les légumes à croissance plus lente auront tout l'espace nécessaire pour croître et vous pourrez marcher entre les rangs. Cela peut sembler un peu compliqué, mais lorsqu'on a peu d'espace et que la saison est courte, c'est la meilleure chose à faire. Pour réussir, vous devrez quand même veiller à fertiliser le sol.

J'aime bien avoir ce que j'appelle « des cultures flottantes » en plantant dans mon jardin des légumes à croissance rapide comme la laitue, les radis, les épinards, le céleri, le chou, la bette à carde et autres feuillus. En décalant leur culture, j'ai des légumes frais pendant toute la saison.

Les plantes qui s'aident mutuellement sont placées ensemble le plus souvent possible, dans le même rang (comme les œillets d'Inde et les haricots) ou dans des rangs voisins. La laitue et les oignons font bon voisinage et je plante une nouvelle laitue chaque fois que je récolte un oignon. Je plante les oignons en rangs serrés et je les récolte en éclaircissant le rang pour que certains atteignent la maturité en vue d'être séchés.

Plusieurs légumes sont assez jolis pour faire partie d'une plate-bande. Du persil planté entre des bulbes mettra les fleurs en valeur. Les tomates peuvent pousser avec les rosiers tout en les protégeant contre la noircissure. Plusieurs plantes grimpantes, comme les courges, les concombres et les citrouilles, poussent bien avec le maïs et peuvent éventuellement le protéger contre les ratons laveurs. Le maïs protège pour sa part les plantes grimpantes contre le pourrissement des racines. Plusieurs cultures hâtives croîtront bien dans un sol laissé libre par des épinards, qui sont riches en saponine. Les épinards hâtifs peuvent être cultivés en alternance avec des fraises.

La ciboulette est une autre jolie plante (voir *Ciboulette*) qui deviendra chaque année plus grosse dans une roseraie et qui donnera à la fin du printemps des fleurs couleur lavande.

Certains hybrides de légumes sont spécialement conçus pour être plantés avec des fleurs. Les fleurs du chou et du chou frisé, magnifiques dans des coloris de rouge, de blanc et de vert, n'enlèvent rien à la saveur du légume. Plantez-les avec de la menthe, du thym, du romarin, de la sauge ou de l'hysope.

Prenez soin de ne pas planter ensemble une plante qui a besoin de soleil et une plante plus grande qui lui fera de l'ombre, ni deux plantes qui demandent beaucoup d'eau.

Suivez ces règles de base : les asperges avec les tomates ; les haricots avec les carottes ou la sarriette ; les betteraves avec les oignons ou les choux-raves ; les membres de la famille des choux avec les herbes aromatiques ; les pommes de terre, céleris ou poireaux avec les oignons ; les céleris, carottes ou navets avec les pois.

N'oubliez pas les mauvais voisins. Ne plantez pas des haricots avec des oignons, de l'ail ou des glaïeuls ; des betteraves avec des haricots grimpants ; les membres de la famille des choux avec des fraises, des tomates ou des haricots grimpants ; des pommes de terre avec des citrouilles, courges, concombres, tournesols, tomates ou framboises.

Culture de demi-saison

Là où la saison de jardinage est longue, on peut profiter de deux saisons : le printemps et l'automne. Fin été on fera pousser des choux-fleurs, des brocolis, des choux de Bruxelles, des choux, des laitues, des radis et des pois anglais, qui sont pratiquement exempts d'insectes. Certains légumes à croissance lente n'ont pas intérêt à être plantés au printemps à cause de la trop grande chaleur de la mi-été.

Dans plusieurs endroits, on plante les courges tôt pour éviter les insectes perceurs, qui déposent leurs œufs en juillet.

On peut éviter les asticots des radis et des choux en choisissant bien le moment de la mise en terre.

Observez à quel moment chaque type de culture est le plus infesté d'insectes et, l'année suivante, plantez-le plus tôt ou plus tard que l'année précédente.

Cultures (optimisation des)

Pour optimiser les cultures, plantez des plantes à croissance rapide aux endroits réservés à des plantes plus tardives, comme les tomates ou les membres de la famille des choux. En attendant, plantez des radis, de la laitue ou des épinards.

Cultures (rotation des)

Cette technique permet d'optimiser le rendement du compost ou du fertilisant. Les plantes gourmandes, comme les brocolis, les choux de Bruxelles, les choux, les choux-fleurs, les céleris-raves, les céleris, les bettes à carde, les concombres, les endives, les choux-raves, les poireaux, les laitues, les épinards, les courges, le maïs sucré et les tomates devraient être plantés dans des sols nouvellement fertilisés avec des engrais parfaitement décomposés.

Faites suivre ces plantes gourmandes par des plantes moins exigeantes, comme les betteraves, les carottes, les radis, les rutabagas et les navets, qui se contentent de poussière de roche et de compost.

Le troisième groupe à être planté, les légumineuses, comprend les fèves, les haricots de Lima, les haricots nains et grimpants, les pois et les fèves de soya. Ce sont des plantes qui fixent l'azote de l'air et qui la retournent au sol par leurs racines.

Culture sur deux niveaux

Les légumes qui occupent des couches de sol différentes font souvent de bons voisins. Citons en exemple les asperges avec le persil, les tomates ou les betteraves avec le chou-rave, les betteraves avec les oignons, les poireaux avec les grimpants, l'ail avec les tomates, les carottes avec les pois et les fraises avec les haricots nains.

Plusieurs combinaisons de ce genre sont possibles et permettent de doubler la production d'un petit jardin tout en améliorant la santé et la saveur des légumes.

Ne plantez pas ensemble des plantes qui devront partager la même strate de sol ou la même lumière, comme les tournesols et les haricots grimpants, ni des plantes dont l'exsudation des racines leur nuirait mutuellement, comme les carottes et le fenouil.

Cycloloma *(Amaranthus reflexus)*

Les cyclolomas tirent les éléments nutritifs du sous-sol et rendent le sol plus friable pour les carottes, les radis et les betteraves. Ils permettent également aux plants de pommes de terre d'être plus productifs et c'est un excellent voisin pour les oignons, le maïs, les poivrons et les aubergines. Il faut cependant les éclaircir. Les tomates plantées à proximité de plants de cycloloma résistent mieux aux insectes.

64

D

Datura *(Datura stramonium)*

Cette plante porte plusieurs noms dont ceux de pomme épineuse, d'herbe aux sorciers et de trompette du diable. Bien que toutes les parties de la plante soient toxiques, elle reste quand même utile en médecine. Elle est particulièrement utile aux citrouilles et elle protège également les plantes contre les scarabées asiatiques. La fumée des feuilles de datura séchées calme les abeilles lorsque la ruche doit être ouverte, mais il faut l'utiliser parcimonieusement. Originaire des régions tropicales, cette plante se rencontre rarement au Québec.

Même si d'autres parties sont toxiques, la pomme épineuse est bénéfique aux citrouilles.

Diatomées (poudre de)

On fabrique un traitement efficace contre les insectes à partir de créatures fossiles unicellulaires appelées diatomées, qui existaient dans les océans et dont les coquilles microscopiques se trouvent dans des fonds marins pouvant atteindre plus de 350 mètres de profondeur.

Ces dépôts contiennent des aiguilles microscopiques de silice qui percent le corps des insectes, qui ne peuvent alors plus conserver l'humidité qui leur est nécessaire. Les insectes meurent de déshydratation. Ces aiguilles sont si fines qu'elles ne nuisent pas aux humains ou aux animaux. Cependant, les insectes qui les mangent voient leurs systèmes respiratoire, digestif et reproducteur dérangés.

Ces dépôts ne blessent pas les vers de terre, car leur anatomie est complètement différente de celle des autres insectes. Le ver de terre a un système digestif unique qui lui permet de se mouvoir dans un sol traité à la poudre de diatomées sans se blesser.

Plusieurs jardiniers utilisent ce traitement pour contrôler les spongieuses, les punaises ternes, les thrips, les teignes, les perce-oreilles, les blattes, les limaces, les moustiques adultes, les escargots, les nématodes, toutes les sortes de mouches, les vers de l'épi de maïs, le sphynx de la tomate et plusieurs autres insectes. Pour les champs et les vergers, il est préférable d'appliquer le traitement avec un chargeur électrostatique qui donnera une charge négative aux particules, les faisant ainsi adhérer à la surface des plantes.

Digitaire sanguine *(Digitaria sanguinalis)*

C'est l'herbe la moins désirable qui soit. Il est préférable de l'arracher à la main sur les pelouses, avant qu'elle ne forme un tapis. Si la digitaire apparaît dans votre jardin tentez de la vaincre en remuant le sol. Une pelouse bien engraissée devrait permettre aux herbes les plus intéressantes et les plus désirables de pousser vigoureusement. Comme pour le chiendent, les températures chaudes et sèches feront mourir les racines amenées à la surface. (voir *Chiendent*).

Digitale *(Digitalis)*

Un médicament très puissant est extrait des feuilles séchées de la digitale pourpre, une des plus belles fleurs de jardin. La digitaline extraite de cette plante est utile pour le traitement de plusieurs maladies comme les névralgies, l'asthme et les palpitations cardiaques. Elle est aussi un stimulant cardiaque.

Le médecin britannique William Withering a introduit en 1785 les traitements de certaines maladies cardiaques à la digitaline. On attribue sa découverte à une sorcière qui connaissait sans doute mieux tous les effets de la digitaline que le médecin anglais. L'effet du médicament est cumulatif et il ne devrait jamais être pris sans l'ordonnance d'un médecin (voir le chapitre « Plantes toxiques »).

La digitale ne fait pas que stimuler le cœur humain, elle aide aussi les plantes de son entourage, particulièrement les pins. Une infusion de digitale empêchera les fleurs coupées de faner prématurément.

Certaines personnes plantent des fèves de soya et du maïs pour attirer les chevreuils; d'autres plantent des graines de ricin ou de digitale pour les éloigner. Une clôture efficace devrait avoir au moins deux mètres de hauteur.

Dionée attrape-mouche *(Dionaea muscipula)*

Cette plante qui attrape sa nourriture elle-même peut être plantée à l'intérieur ou à l'extérieur dans un sol très humide. Les plantes, qui se développent en 3 ou 4 semaines, piègent les insectes avec l'extrémité de leurs feuilles divisées en deux qui se replient l'une sur l'autre. Les insectes ainsi capturés sont ensuite digérés par la plante. Lorsqu'une feuille a capturé plusieurs insectes, elle se dessèche et meurt pour laisser la place à une nouvelle feuille. La dionée attrape-mouche croît dans des sols marécageux et pauvres en azote, car les insectes fournissent l'azote nécessaire au régime de la plante.

E

Échalote *(Allium ascalonium)*

Les échalotes, d'une saveur plus délicate que les oignons, se multiplient en plantant les caïeux ou gousses qui proviennent du bulbe. Elles peuvent être plantées avec presque tous les légumes du jardin, mais — comme les oignons et l'ail — on ne doit jamais les planter près des fèves ou des pois.

Églantier

Voir *Rosier rugueux.*

Engrais vert

Les matières végétales formant des engrais verts constituent un apport important au sol. Une expérience faite à Hawaii a révélé que le mélange de matières végétales vertes et fraîches au sol a permis d'accroître considérablement le nombre de vers inoffensifs. Cela a conduit au développement naturel de champignons prédateurs de vers dommageables et de nématodes.

Les engrais verts sont généralement obtenus en semant des graines de qualité inférieure qui ont pour fonction de protéger le sol contre l'érosion des vents d'hiver, des tempêtes de neige ou d'un dégel précoce. Ils agissent comme une couverture isolante qui garde le sol plus chaud en hiver et plus frais en été. Cela stimule les éléments actifs du sol en général et les vers de terre en particulier. Plus il y a de vers de terre dans un sol, plus il y aura de canaux qui apporteront à la surface les minéraux et les éléments nutritifs nécessaires à la croissance des plantes et à leur résistance aux insectes.

Les racines de plusieurs engrais verts plongent assez profondément dans le sol pour absorber des éléments nutritifs qui revitaliseront le sol lorsqu'elles seront enfouies pour se décomposer.

Certains engrais verts, comme les légumineuses, ont la capacité de capter et de fixer une grande quantité de l'azote contenu dans l'air, apportant ainsi au sol un élément important pour la croissance des plantes. La luzerne est l'un des meilleurs engrais verts pour fixer l'azote et pour retourner au sol une grande quantité de protéines.

Les autres engrais verts sont l'orge, le brome, le sarrasin, le brome des seigles, le trèfle hybride, le millet, le colza, le seigle du printemps, l'ivraie italienne, le seigle d'hiver, le sorgho, la fève de soya, le tournesol, le trèfle commun, la vesce cultivée et le blé d'hiver.

Trèfle des champs   Trèfle des prés ou trèfle rouge

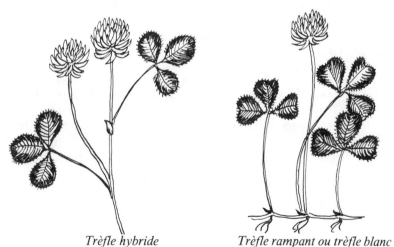

Trèfle hybride   Trèfle rampant ou trèfle blanc

Les trèfles font de bons engrais verts. Leur croissance est limitée par les membres de la famille des jusquiames et des renoncules. Ils stimulent la croissance des morelles noires mortelles.

69

Pour le potager, le chou frisé constitue un bon engrais vert pour les mois d'hiver. Il est facile à cultiver et sa saveur est améliorée par le gel.

Épinard *(Spinacia oleracea)*

À cause de la saponine qu'ils contiennent, les épinards sont souvent utilisés comme préculture. Ils poussent bien avec les fraises. Le bacille thuringiensis sera utilisé pour le protéger contre les insectes.

Épinette *(Picea)*

Trois espèces de pics ont, semble-t-il, fait échec à une infestation par la tordeuse du bourgeon de l'épinette survenue au Colorado en 1947. Le bacille thuringiensis est efficace pour contrôler ces insectes dans certains types de forêts.

Érable *(Acer)*

On retrouve de nombreuses espèces d'érables réparties à travers l'Amérique du Nord. L'*Acer saccharum* ou érable à sucre est le mieux connu et le plus important autant pour sa beauté que pour le sirop d'érable qu'on en tire. À l'automne, l'érable rouge *(A. rubrum)* est peut-être le plus beau de tous les érables. Il aime les endroits très humides, mais pousse tout de même à flanc de côteau si le sol est assez humide. On plante souvent l'érable argenté (*A. saccharinum*) dans les parcs ou en bordure des rues.

Les érables ont des racines peu profondes et très étendues, de sorte qu'il est difficile de faire pousser d'autres plantes à proximité. De plus, il semble que leurs racines exsudent une substance qui déplaît à plusieurs autres plantes. Des feuilles d'érable étendues autour des pommiers, des carottes, des pommes de terre et des autres légumes à racine produiront un effet bénéfique sur les plants.

Érigéron *(Erigeron)*

Cette plante d'Amérique s'est répandue en Europe dans les sols pierreux. Elle est utilisée en pharmacie et ses huiles servent à éloigner les moustiques. Certaines personnes sont allergiques à cette plante, qui produit chez elles des réactions semblables à celles causées par l'herbe à puce.

Érysiphe

Voir *Mildiou.*

Escargots et limaces *(Agriolimax campestris* et *Helicidae)*

Ces insectes font leurs ravages surtout durant la nuit dans les endroits où le sol est détrempé. Ces ivrognes adorent la bière et n'hésiteront pas à se noyer dans un plat qui en contient. Même des boîtes de bière vides placées dans le jardin les attireront par l'odeur. Les escargots n'aiment pas les lignes croisées de cendre ou de chaux hydratée, mais ils adorent le miel et se noieront également dans des plats qui en contiennent.

Comme le sel de table dissout les limaces, j'en ai toujours dans ma poche. Je m'en sers dès que j'en vois une. Je n'ai aucun remord à les détruire quand je pense aux dommages qu'elles feront à mes choux ou à mes laitues si je leur en laisse l'occasion.

Les tiges de tabac éloigneront les escargots. Ils détestent aussi les feuilles et l'écorce du chêne, de même que l'âpreté de l'absinthe.

Estragon *(Artemisia dracunculus)*

Pour accroître la vitalité des plants d'estragon, utilisez un fertilisant pour pommes de terre comme traitement additionnel au printemps et, à nouveau, immédiatement après la première récolte. Pour diviser les plants d'estragon avec succès, les racines doivent être démêlées avec précaution. Chaque section détachée de la racine principale peut être replantée pour former un nouveau plant. Cela doit idéalement se faire tous les trois ans, en mars ou en avril. L'estragon est une herbe au goût particulier utilisée en cuisine. Le vinaigre à l'estragon est aussi très connu.

Euphorbe *(Euphorbia)*

Quelques plants d'euphorbe bien placés éloigneront les taupes et les souris. Ils seront également bénéfiques aux arbres fruitiers plantés à proximité. Les plantes de la famille des euphorbes aiment généralement les sols secs, légers et sablonneux, mais elles s'étendront aux sols cultivés si on leur en laisse l'occasion. Lorsqu'on abîme leurs feuilles, elles laissent toutes s'écouler un latex âcre produisant dans plusieurs cas des effets toxiques. On doit prendre soin que ce latex n'entre pas en contact avec une peau éraflée ou délicate. Le latex de l'euphorbe cyprès est utilisé pour soigner les verrues.

Le poinsettie est un membre de cette famille; il est très décoratif, mais néanmoins toxique.

Euphorbe cyprès *(Euphorbia cyparissias)* — Rhubarbe des pauvres

Cette drôle de petite plante nous vient d'Orient, où elle était cultivée comme plante ornementale. Le latex qui s'écoule de ses feuilles est efficace contre les verrues et, en France, on s'en sert également comme laxatif. En Amérique, cette plante est considérée comme une mauvaise herbe. Ne la laissez pas pousser près des vignes, car elle pourrait rendre les plants stériles. Le bétail qui mange du foin contenant de l'euphorbe peut en être malade.

F

Fenouil *(Anethum)*

La plupart des plantes détestent le fenouil et on devrait le planter loin des autres légumes, car il a un effet négatif sur les haricots, le carvi, les choux-raves et les tomates. En plantant le fenouil loin du potager, on peut mettre son feuillage en valeur. Les graines, qui sentent et goûtent la réglisse, peuvent être infusées pour soulager les coliques des bébés. Mélangées à des feuilles de menthe poivrée, les graines de fenouil donnent une tisane délicieuse. Le fenouil est gêné par la proximité de la coriandre, qui l'empêchera de produire des graines. Il déteste également l'absinthe.

Fertilisants inoculés

Vendus sous différentes appellations, ces préparations favorisent la floraison et la croissance des pois, des haricots, des fèves de soya, etc. Les légumineuses ainsi traitées développeront les nodules de leurs racines afin de transformer l'azote en éléments nutritifs assimilables.

Fertilisants naturels

On sait que les légumineuses ont la propriété de capter l'azote de l'air et de la fixer dans leurs racines. En fait, de nombreuses plantes ne tirent que 5 % de leur alimentation du sol. Avez-vous déjà remarqué comment les plantes, surtout le gazon, sont plus vertes après un orage électrique ? Ce n'est pas une illusion. Ce phénomène est dû à l'air chargé d'électricité, qui libère 78 % de son azote sous forme soluble.

La pluie et la foudre sont des fertilisants. Chaque fois que la foudre frappe la terre, une grande quantité d'azote est emmagasinée dans le sol. Un expert prétend que 250 000 tonnes d'azote naturel sont libérées chaque jour par les 1 800 orages qui éclatent un peu partout à travers le monde. À certains endroits, cela peut représenter plus de 100 tonnes par acre chaque année. La pluie apporte également de l'azote — à certains endroits, jusqu'à 10 kg par acre annuellement.

Le soufre vient aussi de la pluie, au rythme d'environ 20 kg par acre par année. L'eau de pluie contient également de l'acide carbonique, qui forme le gaz carbonique nécessaire au cycle alimentaire des plantes. Des millions de tonnes en tombent annuellement ; lorsqu'on sait que les plantes sont constituées de carbone à 50 %, on en comprend mieux toute l'importance. Plusieurs indices semblent indiquer que certains métaux rares, comme le sélénium et le molybdène, proviennent aussi de la pluie.

La neige fournit non seulement de l'azote, mais aussi du phosphore et d'autres minéraux. Elle constitue un atout supplémentaire pour les climats froids. La neige contient 40 % moins d'eau lourde (ou acide de deutérium) que l'eau de pluie. Le deutérium est un isotope lourd, une forme d'hydrogène légèrement différente. Combiné à l'oxygène, il ne forme pas H_2O (formule chimique de l'eau), mais plutôt D_2O. Selon des recherches effectuées par des chercheurs russes, l'eau lourde ralentit le processus biologique et chimique de la croissance des plantes. Lorsque les molécules d'eau lourde sont retirées, la croissance semble s'accélérer. Ainsi les cultures sont favorisées par les climats neigeux. Même le brouillard ajoute des éléments au sol, particulièrement le long des côtes, où il transporte de l'iode, de l'azote et du chlore.

La poussière transporte elle aussi des minéraux, des matières organiques et des organismes essentiels à la croissance des plantes, très souvent en grande quantité. La poussière peut être transportée sur des milliers de kilomètres, rester en suspension dans les hautes strates de l'atmosphère et retomber sur le sol avec la pluie. Plusieurs croient que la poussière est un agent important pour rendre aux sols usés les minéraux qui leur manquent et qu'elle contient aussi des bactéries essentielles à la santé des sols.

Voici comment on peut profiter de l'électro-culture sans devoir attendre les orages électriques. Attachez vos plants de tomates à des poteaux ou des treillis métalliques avec des fils de nylon coupés à même de vieux bas. J'utilise de l'acier d'armature plié en forme de V inversé avec un rang de tomates de chaque côté. Un ami qui a essayé ce procédé a obtenu une récolte abondante et de très grosses tomates ; de plus ses plants ont continué à produire jusqu'aux gelées.

Feuilles

Les feuilles sont les poumons des plantes. Pendant la période de croissance, elles respirent abondamment et dégagent beaucoup de vapeur d'eau. C'est ce qu'on appelle la transpiration des plantes. Un chêne blanc de taille moyenne dégage environ 600 litres d'eau par jour en été. Faute de feuilles, l'écorce prendra la relève grâce à sa porosité, même dans ses parties les plus épaisses. Observez les petits points soulevés à la surface lisse des ramilles. Ce sont des lenticelles, qui servent à filtrer l'air respiré par la plante.

Feuilles de laurier *(Lauris nobilis)*

Des feuilles de laurier placées avec des céréales entreposées, comme le blé, le seigle, le riz, les fèves, l'avoine ou le maïs, tiendront les charançons à l'écart. Le laurier appartient à la même famille que la cannelle, le camphre, l'avocat et le sassafras. J'ai remplacé les feuilles de laurier par des feuilles de sassafras dans les céréales et la farine ; elles sont tout aussi efficaces contre les insectes et les charançons.

Feuilles de thé

Mélangez des feuilles de thé avec les semences de radis et de carottes pour contrer les asticots.

Fève

Voir *Haricots.*

Fève de soya

Voir *Pois chinois.*

74

Folle avoine

Voir *Riz sauvage*.

Fougère mâle *(Dryopteris filix-mas)*

Une vieille pharmacopée décrit le goût de la fougère en ces termes éloquents : « douceâtre, mordant, légèrement amer, astringent et nauséabond ». Elle ne dit cependant pas que les spores de la fougère rendent invisible, comme le prétendait une légende d'autrefois. Les fougères ont des propriétés médicinales reconnues depuis des siècles et certaines espèces sont encore décrites dans les pharmacopées actuelles, dont la dryoptéride marginale *(D. marginalis)*. À l'automne, on déterre soigneusement ses racines pour en tirer de l'oléorésine. Un compost fait à partir de fougères favorisera la germination des arbres.

La *dryopteris filix-mas* est une fougère peu fréquente au Québec. On la retrouve surtout dans la région du nord-est de la province.

Fourmi *(Formicidae)*

La pollinisation par les fourmis a été observée sur une petite plante annuelle appelée *Polygonum cascadense*. Auparavant, on croyait que les fourmis ne jouaient pratiquement aucun rôle dans la pollinisation. On estime aujourd'hui que les fourmis participent uniquement à la pollinisation des plantes qui croissent près du sol et dans les régions très chaudes et sèches où elles sont plus abondantes.

Les fourmis ont toujours eu la réputation de favoriser la prolifération des aphidiens (pucerons), des cochenilles, des mouches blanches, des homoptères et des sauterelles. Il est vrai que les fourmis se nourrissent des sécrétions de ces insectes et qu'elles les protègent en échange contre leurs ennemis naturels, les parasites et les prédateurs qui autrement les détruiraient.

Certaines espèces de fourmis sont toutefois réputées pour contrôler les insectes nuisibles. Depuis des siècles, les producteurs chinois de citronniers mettent des fourmis dans leurs vergers pour qu'elles s'attaquent aux chenilles et aux autres insectes nuisibles. Ils vont même jusqu'à installer des tiges de bambou pour que les fourmis puissent circuler d'arbre en arbre.

Pour se débarrasser de fourmis qui infestent la cuisine, on peut mettre des feuilles de pouliot ou de menthe à épis sur les étagères. Pour éloigner les fourmis de la maison, on pourra aussi planter de la menthe ou de la tanaisie près des portes et des murs extérieurs.

Fraisier *(Fragaria)*

Une culture couverte de seigle réduira les taches noires sur les fraises. Les fraisiers font bon voisinage avec les haricots, les épinards et la bourrache. La laitue est efficace en bordure et les pyrèthres, plantés de chaque côté, les protégeront contre les insectes. Une haie de sapins ou d'épinettes sera également efficace.

Des aiguilles de pin seules ou mêlées avec de la paille constituent un bon paillis qui donne aux fraises cultivées une saveur semblable à celle des fraises sauvages. Les aiguilles de sapin et d'épinette peuvent aussi être utilisées comme paillis, mais je leur préfère le foin haché de luzerne.

Fraisier sauvage *(Fragaria)*

Les fraises sauvages sont petites mais ont une saveur unique qu'on ne retrouve chez aucune autre espèce. Leur présence dans les pâturages indique une augmentation de l'acidité du sol.

Framboisier *(Rubus)*

Si vous faites pousser des framboisiers rouges et noirs, laissez une bonne distance entre les plants des deux espèces. Les framboisiers rouges souffrent parfois d'une maladie qui les affecte peu ou pas du tout, mais qui est fatale pour les framboisiers noirs. Plusieurs jardiniers croient que les pommes de terre sont plus vulnérables à la brunissure lorsqu'elles sont plantées près des framboisiers.

Fumigation

Dans les serres, où il est généralement difficile de contrôler les aphidiens (pucerons), les fourmis et les indésirables mouches blanches, vous pourrez constater l'efficacité de la fumée des feuilles de chêne. Elle n'est pas toxique, elle ne détruit pas les bactéries du sol et elle ne laisse aucun résidu nocif. Faites fumer les feuilles pendant une demi-heure en gardant la porte de la serre bien fermée.

G

Gazon pour pelouse

Le pâturin des prés *(Poa)* est un excellent gazon pour le nord et l'est. Il doit être accompagné d'une espèce à germination et à croissance rapides, comme l'agrostide blanche, afin de couvrir la surface et d'empêcher la prolifération des mauvaises herbes au début de son développement. Après avoir pris un bon départ, le pâturin prendra le dessus.

Gazon pour nouvelle pelouse

Un gazon à germination et à croissance rapides, comme l'agrostide blanche, est souvent utilisé dans les mélanges pour nouvelles pelouses afin de produire rapidement un tapis qui empêchera la croissance des mauvaises herbes pendant qu'un gazon plus permanent, comme le pâturin des prés, se développera. Le pâturin pourra mettre de 2 à 3 ans avant d'atteindre sa pleine maturité ; si les conditions sont favorables, il étouffera alors l'agrostide blanche.

Au Canada, on utilise fréquemment le phléole des prés (mil) ou l'ivraie vivace *(lolium perenne)* comme gazon temporaire. Occasionnellement, le trèfle blanc *(trifolium repens)* est utilisé comme gazon pour des terrains de jeux.

Gel

Les plantes sont souvent classées selon leur degré de résistance au gel. On peut établir le classement suivant.

Les cultures rustiques ou de saison froide survivront à des gels moyens ou forts. Les graines de ce groupe (pois, betteraves, choux) peuvent être plantées au printemps, dès que le sol peut être travaillé, ou au milieu de l'été en vue d'une récolte à l'automne.

Les légumes semi-rustiques survivront à un gel léger. La germination des graines se fera à de basses températures et elles pourront être plantées 2 à 3 semaines avant la date de la dernière gelée.

Les cultures de saison chaude (tomate, aubergine, poivron, etc.) ne supportent pas le gel et leurs graines ne germeront que très rarement dans un sol froid.

Géranium *(Pelargonium)*

Les géraniums font fuir les piérides du chou et protègent les roses, les vignes et le maïs contre le scarabée asiatique. Utilisez des géraniums blancs près du maïs.

Parmi les diverses espèces de géranium odorant, citons le *P. tomentosum* à l'odeur de menthe, qui a des feuilles veloutées semblables aux feuilles de vigne et de jolies petites fleurs blanches ; le *P. crispum*, à odeur de citron, dont les longues tiges sont ornées de fleurs d'un rose très soutenu et de feuilles odorantes ; les géraniums muscade et pomme, qui ont de petites feuilles rondes de couleur gris pâle à l'odeur d'épice ou de pomme. On peut préparer de la gelée de pomme aromatisée avec des feuilles de géranium rosat.

Germination

Plusieurs plantes nuisent à leur propre germination en plus de nuire à celle des autres. Des expériences faites avec l'herbe à poux *(Ambrosia)* ont aussi démontré que cette plante nuisait à la transformation de l'azote chez les algues et les bactéries.

Dans les champs étudiés, on a observé une végétation différente autour de l'herbe à poux et cette différence n'était pas due aux propriétés physiques du sol ni à la compétition. Ce sont l'exsudation des racines, les sécrétions des feuilles et la pourriture des feuilles de l'herbe à poux qui inhibent les premiers envahisseurs des champs abandonnés.

L'exsudation des racines de l'ivraie et des jeunes plants de blé nuit à la germination des graines de camomille. Les jeunes plants de haricots nuisent à la germination des graines de blé et de lin. Les violettes nuisent également aux jeunes plants de blé.

Chez certaines plantes, les substances nocives viennent des fruits ou des graines, tandis que chez d'autres, elles viennent des racines, des feuilles ou des tiges. Les huiles essentielles contenues dans plusieurs herbes, et même dans des arbres comme le peuplier ou les conifères, inhibent la germination des graines des autres plantes à divers degrés.

Ginseng à cinq folioles *(Panax quinquefolium)*

Le ginseng sauvage a besoin de la proximité des arbres pour profiter de l'ombre nécessaire à sa croissance. Dans les cultures commerciales, on recouvre les plants d'un treillis pour les protéger de la chaleur du soleil. Les Chinois croient que le ginseng peut guérir presque toutes les maladies, mais les chercheurs occidentaux ne sont pas encore convaincus de ses qualités. Les médecins jugent que ses effets sont surtout psychologiques, mais des recherches effectuées en Union soviétique et dans d'autres pays ont démontré que les infusions de racine de ginseng peuvent accroître l'énergie et la résistance aux infections.

Glaïeul *(Gladiolus)*

Les pois, les haricots et les glaïeuls se nuisent mutuellement.

Gombo *(Hibiscus esculentus)*

Cette plante tropicale est cultivée pour ses gousses appelées okras ou gombos. C'est une plante qui poussera bien en compagnie des melons ou des concombres. J'en plante deux rangs avec une tranchée entre les deux recouverte de paillis. Du côté nord des gombos, je plante un rang de poivrons doux et, du côté sud, je plante des aubergines. J'ajoute du paillis au fur et à mesure que la saison avance. Lorsque la température devient chaude et sèche, je place un boyau d'arrosage dans la tranchée et je l'inonde. Ainsi, les trois compagnons poussent bien.

Grande marguerite des prés *(Chrysanthemun leucanthemum)*

Semée avec du blé dans une proportion de 1 pour 100, cette marguerite lui sera bénéfique. Dans une proportion plus forte, elle étouffera le blé.

Grande ortie

Voir *Ortie dioïque.*

Guêpe ichneumon *(Campoletis perdistinctus)*

Cette guêpe vit aux dépens d'au moins 27 espèces nuisibles de mites et de papillons, mais elle préfère déposer ses œufs dans les larves des vers de l'épi de maïs et des pyrales du tabac.

Gui *(Viscum)*

Cette plante parasite était sacrée chez les Gaulois. Les druides la coupaient avec une serpe d'or (symbole du soleil) et la plaçaient dans un linge pour éviter qu'elle touche le sol.

Les gens confondent souvent le gui avec la valériane et croient qu'il peut guérir tous les maux. En réalité, c'est une plante toxique, surtout par ses fruits. Il faut arracher le gui qui pousse sur les arbres, car c'est un parasite qui risque d'affaiblir l'arbre et de le faire mourir.

Au Québec, nous ne retrouvons pas cette espèce de gui. L'espèce qui pousse par ici est l'*Arceuthobium* ou petit gui. C'est une plante minuscule — dans un pouce carré, on peut retrouver jusqu'à quinze individus — et plutôt rare. Le petit gui, tout comme le gui, est une plante parasite qui pousse sur l'écorce de certains arbres, notamment les conifères.

H

Haie

Utilisées comme coupe-vent, les haies sont très utiles dans des climats secs et venteux. Les viornes trilobées font une bonne haie tout en donnant des fruits délicieux pour les oiseaux. Les rosiers rugueux forment une haie presque impénétrable et donnent des fruits très vitaminés. L'olivier *umbellata Cardinal*, le fusain ailé *(Euonymus alatus compactus)* et le chèvrefeuille tatarica sont les favoris des oiseaux. Pour la couleur du feuillage, choisissez la spirée Goldflame ou le saule arctique.

Hamamélis de Virginie *(Hamamelis virginiana)*

L'hamamélis de Virginie, aussi appelé noisetier de sorcière, est un arbuste ou un petit arbre. Les autochtones des États-Unis furent les premiers à utiliser l'écorce d'hamamélis pour soigner les inflammations. On prépare une infusion en faisant bouillir pendant 24 heures dans de l'eau les racines et les ramilles, puis en y ajoutant de l'alcool. L'alcool obtenu par la distillation de ce mélange servira à traiter les contusions, les entorses et la douleur causée par les brûlures.

L'alcool est peut-être le seul agent actif, car les chimistes n'ont encore trouvé aucune propriété curative ni à l'écorce ni aux feuilles.

Cet arbre a la propriété de semer ses graines par des températures sèches et froides. Le noisetier de sorcière doit son nom à
des mineurs anglais supersticieux qui utilisaient ses ramilles en
forme de fourche comme baguette de sourcier.

Haricot *(Phaseolus vulgaris)*

Les haricots communs, dont les haricots beurre et les haricots
verts, poussent bien avec une quantité limitée de céleris, soit un
pied de céleri par six ou sept plants de haricots.

Les haricots pousseront également bien avec les concombres
en s'entraidant. Les fraises et les haricots plantés ensemble,
croîtront plus rapidement que s'ils étaient plantés seuls.

Les haricots aideront le maïs, s'ils sont plantés en rangs
alternés. Ils poussent bien avec la sarriette, mais ne devraient
jamais se trouver à proximité du fenouil. Comme toutes les fèves,
ils détestent les oignons.

Haricot de Lima *(Phaseolus limensis)*

La proximité du robinier faux-acacia exerce une bonne influence
sur la croissance des haricots de Lima. Les autres plantes leur
donnent peu ou pas d'assistance contre les insectes.

Il ne faut jamais partir un plant avec des fèves qui ne sont pas
sèches, car s'il y a présence d'anthracnose, elle se répandra. Si le
sol n'est pas assez riche en calcium et en phosphore, vous aurez
sans doute quelques problèmes d'anthracnose et de mildiou.

Haricot grimpant

Comme les autres membres de la famille, les haricots grimpants
font bon ménage avec le maïs et la sarriette, mais détestent les
choux-raves et les tournesols. Les betteraves ne poussent pas bien
en leur compagnie, mais les haricots grimpants et les radis
s'aident mutuellement.

Haricots *(Phaseolus)*

Plusieurs variétés de haricots ont été développées et chacune a ses
bons et ses mauvais voisins. Règle générale, ils pousseront tous
bien en compagnie des carottes et des choux-fleurs, les carottes
favorisant tout spécialement la croissance des haricots. Les

haricots poussent bien avec les betteraves et ils aident les concombres et les choux.

Quelques haricots plantés avec du poireau et du céleri-rave auront des effets bénéfiques pour tous. Par contre, s'ils sont plantés trop serrés, ils auront un effet négatif sur les trois types de légumes. Des œillets d'Inde plantés dans des rangs de haricots éloigneront la coccinelle mexicaine des haricots.

Les haricots verts plantés avec la sarriette pousseront mieux, auront meilleur goût et seront protégés contre la chrysomèle du haricot. La sarriette accompagne aussi les haricots avec bonheur dans les préparations culinaires.

Les haricots détestent tous les membres de la famille des oignons — ail, ciboulette, échalote — et ils n'aiment pas être plantés à proximité des glaïeuls.

Les haricots sont d'excellents compagnons pour le maïs, auquel ils grimpent rapidement pour rejoindre la lumière. En plus d'ancrer le maïs solidement dans le sol, ils le protégeront contre les ratons laveurs. Les haricots ajoutent aussi au sol l'azote nécessaire au maïs.

Haricots et pommes de terre

Les haricots plantés avec les pommes de terre protègent ces dernières contre le doryphore de la pomme de terre. En échange, les pommes de terre protègent les haricots contre la coccinelle mexicaine des haricots. Il est préférable de planter les pommes de terre et les haricots en rangs alternés.

Hedéoma faux-pouliot *(Hedeoma pulegioides)*

Plantez-les avec le brocoli, les choux de Bruxelles et le chou pour éloigner la mouche du chou. Comme les tanaisies, ces plantes peuvent être cultivées près des portes pour éloigner les fourmis. En frottant leurs feuilles sur la peau, on évitera les piqûres des moustiques. Les feuilles fraîches ou séchées servent depuis longtemps à chasser les puces.

Cette plante, qui se rencontre à l'état sauvage au Québec, n'est que très rarement utilisée.

Hélianthe *(Helianthus annuus)*

Plus souvent appelée tournesol ou soleil, cette plante est originaire des États-Unis où elle est largement cultivée. Elle regénère le sol lorsqu'elle est plantée avec modération dans certaines cultures. Cependant, la germination des graines d'hélianthe ne se fera pas bien à proximité des pelouses.

On croit que les feuilles d'hélianthe produisent une substance qui inhibe les autres espèces. E.L. Rice, de l'Université de l'Okla-homa, croit qu'il s'agit d'un mécanisme de défense de la plante. Exigeant elle-même peu d'azote, l'hélianthe dégage une substance qui inhibe les bactéries qui fixent l'azote dans le sol, retardant ainsi le moment où d'autres plantes viendront envahir son territoire. Selon Rice, l'hélianthe inhibe toute croissance dans son entourage

Les hélianthes font bon voisinage avec les concombres, mais pas avec les pommes de terre et les haricots grimpants.

immédiat. Les hélianthes et les pommes de terre ont un effet négatif les unes sur les autres. Les pommes de terre seront aussi plus susceptibles d'être infestées par le phytophthora.

Les hélianthes et les haricots grimpants ne devraient pas être plantés ensemble, car tous deux ont besoin de lumière et d'espace. Par contre, on a découvert que les hélianthes et le maïs se protégeaient les uns les autres contre les insectes (voir *Maïs*).

Les hélianthes ont aussi des qualités. Ainsi, les concombres profiteront de la proximité des hélianthes qui les protégeront du vent. On peut également s'en servir pour produire de l'ombre, lorsque le climat est trop chaud. Les concombres et les hélianthes aiment un sol riche ; il faut donc ajouter au sol beaucoup de compost.

Les hélianthes ne servent pas uniquement à couper le vent ou à faire de l'ombre. Elles peuvent aussi camoufler une partie du jardin dont la vue n'est pas particulièrement agréable — comme un tas de compost. Leurs fleurs sont fréquentées par les abeilles pour le pollen et le nectar, tandis que leurs graines, que les oiseaux adorent, sont riches en vitamines B_1, A et F et font une huile excellente tant pour la cuisson que pour les vinaigrettes.

Hémérocalle *(Hemerocallis)*

Sur un talus trop abrupt pour du gazon, on peut planter des hémérocalles (belles-d'un-jour) et des iris. Leurs racines retiendront le sol et leurs floraisons successives (les iris fleurissent les premiers) donneront des fleurs tout l'été.

Les hémérocalles sont peu affectées par la substance qui se dégage des feuilles de noyer noir. Les boutons et les fleurs sont délicieux trempés dans la pâte et frits.

Peu de gens savent que les hémérocalles sont comestibles. Les boutons et les fleurs peuvent être sautés au beurre avec un peu de sel ; on peut les manger seuls ou encore avec un plat de courgettes et de tomates. On peut aussi en faire des beignets frits. On peut même les faire sécher afin de les ajouter à des soupes ou à des ragoûts.

Herbe

Jack McCormick définit les herbes comme suit : « Selon l'usage technique, les *herbes* ne sont pas seulement des plantes aromatiques utilisées en cuisine, mais toute plante verte à tige molle plutôt qu'à tige ligneuse. La plupart des fleurs sauvages et des gazons sont des herbes. »

Les herbes sont utilisées en cuisine, en pharmacie et même comme insecticide. Elles peuvent faire de bons ou de mauvais voisins pour les légumes et les fleurs. Les herbes les plus courantes sont traitées séparément (voir aussi le chapitre « Plantes toxiques »).

Herbe à chats

Voir *Cataire.*

Herbe à dindes

Voir *Achillée millefeuille.*

Herbe à poux *(Ambrosia artemisifolia)*

Celui qui a baptisé cette herbe inutile du nom d'ambroisie (nourriture des dieux grecs) voulait sans doute faire une blague. L'herbe à poux produit une grande quantité de pollen que le vent transporte et qui cause le rhume des foins aux personnes souffrant d'allergies. Environ 25 grains de pollen par mètre cube sont suffisants pour entraîner des symptômes désagréables ; pendant la saison de l'herbe à poux, la quantité de pollen répandue dans l'air est nettement supérieure à cela.

Malheureusement, cette plante croît rapidement et n'importe où. Elle a l'air si ordinaire et ses fleurs sont si discrètes que tous les efforts tentés pour l'éliminer ont échoué. On recommande de faucher les plants à la mi-été pour éviter la production de pollen et de graines.

Herbe à puce *(Rhus radicans)*

Les impatientes soulageront les démangeaisons causées par l'herbe à puce (voir *Impatiente*). Si vous avez de l'herbe à puce sur votre terrain, il faut vous en débarrasser. Fauchez les plants au ras du sol à la mi-été, labourez et hersez ensuite pour déraciner les petites touffes. Sous les arbres et le long des clôtures, essayez d'étouffer les plants avec du carton rigide, du papier goudronné ou un épais paillis de foin ou de paille.

Les tiges qui grimpent aux arbres peuvent être coupées au ras du sol et arrachées quelques jours plus tard. Protégez bien votre peau et lavez ensuite vos vêtements, de préférence avec du savon jaune. Si vous décidez de brûler les plants, évitez la fumée qui peut contenir un peu de l'huile responsable de l'infection.

Herbe aux sorciers

Voir *Datura.*

Herbe St-Jean

Voir *Armoise vulgaire.*

Herbes pour tisanes

Les herbes à infuser ont favorisé la digestion et donné du plaisir à plusieurs générations. Les herbes les plus couramment utilisées sont la menthe poivrée, la menthe verte, la monarde, la gaultérie du Canada, le sassafras et la cataire. Voici comment on prépare les tisanes.

Choisir quelques feuilles saines (les feuilles séchées peuvent être utilisées). Compter 4 ou 5 feuilles pour une tasse et une bonne poignée pour une théière. Laver les feuilles à l'eau froide. Mettre les feuilles dans la tasse ou la théière et y verser de l'eau bouillante. Laisser infuser pendant 3 à 5 minutes. Ajouter du sucre ou du miel au goût.

Herbes séchées

Voir *Séchage des herbes.*

Herbes substituées au poivre

Les personnes qui souffrent de problèmes digestifs peuvent remplacer le poivre par du basilic, de la sarriette, du thym, de la marjolaine ou de la capucine.

Herbes substituées au sel

Les herbes peuvent remplacer le sel dans plusieurs plats ou permettre d'en réduire la quantité. Les personnes qui doivent suivre un régime sans sel pourront utiliser des herbes comme le céleri, la sarriette, le thym, la livêche ou la marjolaine.

Herbes substituées au sucre

Trois herbes peuvent remplacer le sucre en cuisine : la citronnelle, la *Myrrhis odoranta* et l'angélique, particulièrement délicieuse dans les tartes aux groseilles noires ou cassis, aux groseilles rouges, à la rhubarbe, aux groseilles à maquereau, aux prunes ou aux pommes. Ces herbes permettent non seulement de réduire de moitié la quantité de sucre, mais elles donnent en outre une saveur différente et délicieuse. La *Myrrhis odoranta* peut être ajoutée à des fraises légèrement sucrées.

Hêtre *(Fagus)*

Les hêtres et les fougères croissent souvent ensemble et les bulbes de scille poussent bien sous ces arbres. Les jeunes hêtres ont besoin d'ombre et poussent souvent sous l'arbre adulte qui leur a donné naissance.

Houx verticillé

Les houx, les aulnes et les saules favorisent le drainage du sol. Les nodosités des racines du houx enrichissent le sol en azote et le houx verticillé est le seul, en dehors des légumineuses, à pouvoir accomplir cette fonction.

Huiles essentielles

Ces composés organiques produits par les plantes sont souvent considérés comme une excrétion du métabolisme, mais ils sont quand même très importants. Bien qu'on les appelle des « huiles », ces substances sont chimiquement différentes des huiles et des graisses que l'on connaît et la plupart d'entre elles sont des composés organiques appelés terpènes, qui sont formés de carbone et d'hydrogène seulement.

Les huiles essentielles sont les substances aromatiques qui donnent une odeur ou une saveur caractéristique à certaines parties d'une plante : fleur parfumée, feuilles de menthe, écorce du cannelier, boutons séchés du giroflier, bois de santal, noix du muscadier, aiguilles de pin, etc. Les huiles essentielles sont importantes en pharmacie, en cuisine, en parfumerie, ainsi que dans la préparation des cosmétiques et de plusieurs autres produits.

Ces substances qui se dégagent des racines, des feuilles ou des fleurs peuvent aider ou nuire à la croissance des plantes voisines. Elles permettent à certaines plantes d'attirer ou d'éloigner certains insectes.

Hysope *(Hysopus officinalis)*

Rien n'est plus joli qu'une haie d'hysopes en plein soleil. Le bleu, le rose et le blanc des fleurs d'hysope se marient admirablement bien. Les feuilles d'hysope ont un parfum particulier qui rappelle celui de la ciboulette, même si certains l'emploient comme la sarriette.

Semez les graines d'hysope tard à l'automne de sorte qu'elles germent tôt au printemps. L'hysope favorise la croissance des vignes et éloigne les papillons du chou.

En compresses, les feuilles d'hysope aident à faire disparaître les marques bleues ou noires causées par les contusions. Les abeilles aiment butiner les fleurs d'hysope, même si la plupart des insectes s'en tiennent loin. Les radis ne pousseront pas bien à proximité des hysopes.

Cette plante, naturalisée au Québec, se retrouve dans le Bas du fleuve, dans les terres entourant le lac Témiscouata.

I

If *(Taxus)*

On croit que les ifs plantés près des rhododendrons sont plus vulnérables aux champignons qui font pourrir les racines à cause de la grande acidité du sol nécessaire aux rhododendrons (voir le chapitre « Plantes toxiques »).

Impatiente *(Impatiens)*

Les impatientes soulagent les démangeaisons causées par l'herbe à puce presque instantanément. Elles n'ont cependant aucun effet négatif sur la plante et il n'est pas rare de les trouver côte à côte. En fait, là où il y a de l'herbe à puce, il y a souvent des impatientes dans les environs.

Pour fabriquer le remède, faire bouillir une casserole d'eau pleine d'impatientes jusqu'à ce que le liquide ait diminué de moitié. Passer ensuite au tamis. Cet extrait est efficace pour prévenir la démangeaison et pour traiter les démangeaisons

Les impatientes poussent souvent près de l'herbe à puce, fleurissent entre juillet et septembre et soulagent les démangeaisons causées par l'herbe à puce et l'ortie brûlante.

L'herbe à puce entraîne chez la plupart des gens une grave irritation de la peau. Ses tiges portent des radicelles qui lui permettent de grimper.

lorsque les boutons sont apparus. La meilleure façon de conserver cet extrait est de le congeler dans des bacs à glace.

Les jeunes tiges des impatientes sont également comestibles ; on les fait cuire comme les haricots.

Insectes (contrôle des)

L'assolement des légumes protège les cultures contre les asticots et les vers qui s'attaquent aux racines. La punaise des céréales et l'altise seront contrôlées en faisant pousser des fèves de soya pour faire de l'ombre à la base des plantes. Les carottes constituent un excellent vermifuge pour les chèvres.

Les herbes suivantes peuvent être employées à des fins spécifiques.

Ail : contre le scarabée asiatique, les aphidiens (pucerons), les charançons, les insectes perceurs et les araignées.

Absinthe : contre les animaux indésirables, le papillon blanc du chou et les coccinelles noires.

Armoise : contre la fausse teigne des crucifères.

Basilic : contre les mouches et les moustiques.

Bourrache : contre le sphynx de la tomate.

Capucine : contre les aphidiens (pucerons), la punaise de la courge, le puceron lanigère et le chrysomèle rayé.

Datura : contre le scarabée asiatique.

Euphorbe : contre les taupes et les souris.

Géranium blanc : contre le scarabée asiatique.

Géranium rose : feuilles écrasées ou huile pour éloigner les insectes.

Herbe à chats : contre les altises.

Hysope : contre la fausse teigne des crucifères.

Lavande : contre les mites des vêtements.

Lin : contre le doryphore de la pomme de terre.

Menthe : contre la fausse teigne des crucifères ; séchée contre les mites des vêtements.

Menthe poivrée : contre le papillon blanc du chou et les fourmis.

Menthe verte : contre les fourmis et les aphidiens (pucerons).

Œillet d'Inde : contre la coccinelle mexicaine des haricots, les nématodes et plusieurs autres insectes.

Ortie : contre le doryphore de la pomme de terre.

Ortie brûlante : contre les aphidiens (pucerons) et les mouches noires.

Pétunia : contre les coléoptères.

Pouliot : contre les fourmis et les punaises.

Pyrèthre : contre la pyrale du concombre, les aphidiens (pucerons), les criquets, les araignées, la piéride du chou et les tiques.

Raifort : contre le doryphore de la pomme de terre.

Ricin : contre les taupes et les punaises.

Romarin : contre la fausse teigne des crucifères, la chrysomèle du haricot et la mouche de la carotte.

Rue odorante : contre le scarabée asiatique.

Santonine : contre les mites.

Sarriette : contre la coccinelle des haricots.

Sassafras : contre les punaises.

Sauge : contre la fausse teigne des crucifères, la mouche de la carotte et les tiques.

Souci officinal : contre le sphynx de la tomate et plusieurs autres insectes.

Tanaisie : contre les insectes volants, le scarabée asiatique, la chrysomèle du concombre, la punaise de la courge et les fourmis.

Thym : contre la piéride du chou.

Insecticides

Plantes. L'ail est très efficace pour contrer les maladies qui endommagent les fruits à noyau, les concombres, les radis, les épinards, les haricots et les tomates. Un produit à vaporiser à base d'oignon sera efficace sans être toxique. Un produit chimique à base d'asperge est efficace contre les nématodes ; vaporisé sur les tomates, il en protégera les racines et les feuilles. Le saprophyte, un champignon inoffensif des arbres, les aide à résister au chancre de l'écorce, aux champignons qui font pourrir et à ceux qui causent la rouille.

Plantes qui attirent les insectes. Les insectes sont fortement attirés par l'odeur et peuvent être détournés de certaines cultures par d'autres plantes placées à proximité. La capucine et la moutarde, qui contiennent toutes deux de l'huile de moutarde, sont fréquemment utilisées à cette fin. C'est ce qu'on appelle une culture piège. Les insectes se nourrissent et pondent dans ces plantes qui doivent être détruites avant l'éclosion des œufs.

Plantes qui éloignent les insectes. Les substances qui éloignent les insectes sont tirées des feuilles écrasées, des infusions ou des huiles essentielles de plantes comme la citronnelle, l'eucalyptus, le cèdre, le clou de girofle, le géranium rose, le thym, la gaultérie du Canada, la lavande, le laurier ou la gomme de pin. Le ginkgo, le sureau, le pyrèthre et la lavande éloignent les tiques et d'autres insectes. D'autres plantes, comme le cèdre, sont immunisées contre les insectes.

Inule aulnée *(Inula helenium)*

Ma culture germanique m'a appris à respecter l'inule, qui était sous la protection de la déesse Hulda, la première à enseigner aux mortels à filer et à tisser le lin. Selon un herboriste du 17e siècle l'inule avait la propriété de rendre euphorique.

L'inule est entrée en Amérique comme plante curative. Comme notre climat lui convenait, on la trouve maintenant à plusieurs endroits à l'état sauvage.

La substance la plus abondante contenue dans ses racines est l'inuline, une sorte de féculent qui peut remplacer les autres féculents dans les diètes des diabétiques. Elle contient aussi une huile volatile et plusieurs substances cristallines identifiables. La racine principale, qui est épaisse et jaune, a la même odeur que le camphre.

L'inule a été utilisée en Angleterre contre les vomissements des chevaux et, dès 1885, le docteur Korab a démontré que les principes actifs de la plante avaient des propriétés antiseptiques et bactéricides.

L'inule peut atteindre 2 mètres de hauteur au milieu de l'été, lorsque ses grosses fleurs jaunes émergent de ses énormes feuilles feutrées. Elles sont utiles pour produire un peu d'ombre aux plants de menthe.

J

Jacinthe d'eau *(Eichhornia crassipes)*

Cette plante tropicale pousse maintenant dans le sud des États-Unis envahissant les étangs et les cours d'eau avec ses feuilles flottantes. Ses racines pendent dans l'eau et reçoivent les œufs des poissons. Ses jolies fleurs violettes sont grosses et spectaculaires.

Au Québec, on utilise de plus en plus cette plante décorative dans les bassins d'eau à l'intérieur ou à l'extérieur. Dans ce dernier cas, il faut évidemment rentrer les jacinthes pendant l'hiver.

Jardin intensif à la française

Ce type de jardin, qui utilise le sol au maximum et qui est apparu au 18ᵉ siècle, est composé de lits surélevés dont la longueur n'a pas d'importance, mais qui doivent être assez étroits pour pouvoir travailler des deux côtés.

Préparer le sol en le retournant sur une profondeur de 30 cm et en enlever toutes les mauvaises herbes. Ajouter du compost ou un engrais bien décomposé, de même que des composés organiques qui rétabliront le pH du sol (soufre, gypse, phosphate, etc.). Après avoir enlevé la couche de sol ainsi préparée, retourner le sol sur une autre profondeur de 30 cm avant de remettre la couche du dessus en place.

Si le sol est très pauvre, il faudra sans doute ajouter du sable, du compost ou de la terre grasse à la couche de fond. C'est beaucoup de travail, mais le sol s'améliorera avec les années et le travail diminuera.

L'avantage de cette culture intensive est qu'on peut augmenter la quantité de plants qui pourront pousser ensemble dans un petit espace. Le bon voisinage des plantes revêt une importance particulière dans ce type de jardin, car les herbes et les légumes sont serrés les uns sur les autres.

Les lits surélevés ont l'avantage d'améliorer le drainage du sol et d'en permettre une meilleure aération. Le sol ne se gorgeant pas d'eau durant l'hiver, il se réchauffe plus rapidement au printemps et produit des cultures plus hâtives. En général, les petits légumes et les légumes à feuilles conviennent mieux à ce type de jardin, mais rien n'interdit d'y planter du maïs, des citrouilles, des tournesols ou des concombres.

Jusquiame *(Hyoscyamus niger)*

La jusquiame était autrefois très cultivée en Europe. On s'en servait pour soigner les malades. Elle a été introduite au Canada par les premiers colons et les missionnaires. On la retrouve ainsi en diverses régions du Québec mais de manière très locale. L'hoscyamine, qui dilate les pupilles des yeux, provient de la jusquiame noire.

Cette plante toxique est mortelle pour la sauvagine. Toutes les parties de la plante contiennent des alcaloïdes toxiques et même les porcs peuvent s'empoisonner en mangeant ses racines charnues.

K

Kirlian (technique de)

Cette technique photographique mise au point par Semyon Davidovich Kirlian et sa femme Valentina, consiste à photographier l'aura des plantes, des animaux ou des humains.

Une expérience faite avec une feuille saine et une feuille malade, a donné deux photographies très différentes. Sur la première, on pouvait voir nettement les flux d'énergie, tandis qu'ils étaient presque imperceptibles sur la deuxième. Les feuilles qui étaient identiques à l'œil nu se sont révélées très différentes sur la pellicule, signalant ainsi la maladie d'une des feuilles avant même l'apparition des symptômes visibles.

Cette technique ouvre un champ d'exploration extraordinaire qui permettra peut-être de mieux comprendre le mystère du bon voisinage des plantes.

Les feuilles placées entre la pellicule et les électrodes de l'appareil montrent de petites flammes blanches, bleues, rouges ou jaunes qui surgissent de ce qui semble être les vaisseaux des feuilles. Cet effet se produit seulement si les feuilles sont en santé ; il se déforme si la feuille est mutilée et disparaît graduellement lorsque la feuille meurt. Selon Thelma Moss, de l'Université de Californie, l'aura d'une feuille fraîchement cueillie est d'un rose soutenu et brillant qui perd graduellement de sa vivacité au fur et à mesure que la feuille sèche.

L

Lait

Les vaches et les chèvres donnent plus de lait et un lait plus riche lorsqu'elles sont nourries avec du foin d'ortie brûlante ou avec tout autre membre de la famille des ombellifères. Lorsque nous avions des chèvres, nous leur donnions toujours des parures de carottes ; les chèvres aiment aussi les tailles de buisson de roses lorsque les épines ne sont pas trop grosses.

Du lait écrémé peut être vaporisé sur les plants de tabac et sur les autres plantes sujettes au virus de la mosaïque, ainsi que sur les tomates et les poivrons cultivés en serre. Ceux qui repiquent les plants dans les cultures commerciales de tomates et de poivrons trempent leurs mains dans du lait écrémé pour ne pas répandre le virus de la mosaïque.

Un mélange de lait et de sang vaporisé dans les vergers empêchera la formation de champignons, tandis qu'un mélange de lait et de goudron éloignera les punaises des céréales.

Le lait sur et le babeurre peuvent être vaporisés sur les choux pour éloigner les piérides.

Laiteron des champs *(Sonchus arvensis)*

Cette plante qui croît en sol humide a des racines rampantes et profondes qui contiennent une substance laiteuse jaunâtre. Elle aide le melon d'eau, le cantaloup, la citrouille et le concombre et, d'une façon moindre, l'oignon, la tomate et le maïs.

Un cousin éloigné appelé *Cnicus benedictus* est utilisé à des fins médicales et industrielles et constitue l'ingrédient de base de la bénédictine et de certains toniques amers.

Laitue *(Lactuca sativa)*

Au printemps, je garde une provision de petits plants de laitue en couche froide. Lorsque je cueille une échalote, je comble habituellement l'espace laissé libre avec une laitue. Les laitues aident les échalotes et ces dernières éloignent les lapins.

La laitue pousse bien avec les fraises, les concombres, les carottes et les radis. Les radis qui ont poussé avec de la laitue en été sont particulièrement succulents.

La laitue a besoin de fraîcheur et d'humidité pour bien se développer. J'ai observé que la germination ne se faisait pas à des températures trop chaudes. Les laitues repiquées doivent pouvoir jouir d'un peu d'ombre.

Lapins et lièvres

Les oignons éloignent ces rongeurs et peuvent être plantés en rangs alternés avec des choux, de la laitue, des pois et des haricots.

Pour éloigner les lapins et les lièvres, on peut aussi enduire les troncs d'arbres avec du gras animal ou du sang séché. Essayez aussi de la poudre d'aloès sur les jeunes plants, de même que des cendres de bois, de la chaux ou du poivre de cayenne lorsque les plants sont encore recouverts de rosée.

Laurier noble *(Lauris nobilis)*

Voir *Feuilles de laurier.*

Lavande *(Lavendula officinalis)*

La lavande est efficace pour éloigner les souris et des sachets de lavande placés dans la lingerie éloigneront les mites. Des feuilles de lavande placées sous les tapis de laine auront le même effet.

Les semis de lavande croissent très lentement.

Légumes à forte concentration vitaminique

Une nouvelle tomate, la *Doublerich*, introduite en 1956 contient autant de vitamine C que les agrumes. Le professeur A. F. Yeager de l'Université du New Hampshire l'a développée à partir de croisements avec de petites tomates sauvages péruviennes qui sont quatre fois plus riches en vitamine C que nos tomates de jardin.

Quelques années plus tard, les tomates *Caro-Red* furent créées au centre expérimental de l'Indiana ; elles contiennent 10 fois plus de vitamine A que les variétés connues. La variété *Caro-Red* doit cette forte concentration à sa pigmentation orangée appelée beta-carotène. Une seule tomate *Caro-Red* contient deux fois plus de vitamine A que la quantité requise quotidiennement par un adulte. De plus, c'est une tomate vraiment délicieuse. La variété la plus récente, la *Caro-Rich*, contient semble-t-il encore plus de vitamine A.

En 1958, le centre expérimental d'Oklahoma a développé une patate douce appelée *Allgold*, qui contient trois fois plus de vitamine A et 50 % plus de vitamine C que la *Puerto Rico*.

La courge *Sweetnut*, créée dans une université du New Hampshire, a une saveur de noix, des graines comestibles et contient 35 % de protéines et 35 % à 40 % d'huiles insaturées. Les graines sans gousse peuvent être séchées et mangées. Cette université a également créé la betterave *Sweetheart*, qui est 50 % plus sucrée que les variétés connues.

Les variétés de fraises les plus riches en vitamine C sont les suivantes : *Beacon, Catskill, Fairfax, Dresden, Sparkle, Midland, Premier* et *Tennessee Beauty*.

Les bleuets contiennent en moyenne 20 mg de vitamine C par 100 g de fruits, mais les espèces *Burlington, June* et *Rubel* en ont davantage. L'hybride *Blue Ray* est le plus riche en vitamine C.

Les pommes de terre ne contiennent pas autant de vitamine C que les fruits, mais les hybrides les plus riches sont les suivants : *Katahdin, Irish Cobbler* et *Kennebec*. Les pommes contenant le plus de vitamine C sont les *Baldwin, Northern Spy, Winesap* et *Yellow Newton*.

Légumes et céréales résistant aux insectes

Chaque jardin a ses bons et ses mauvais insectes. Pour le jardinier, seuls quelques insectes sont vraiment destructeurs. Certains légumes semblent dotés d'une résistance naturelle aux insectes : les carottes, les betteraves, les endives (incluant la scarolle et la chicorée), la ciboulette, le gombo, certains oignons, le persil, les piments et la rhubarbe. Dans de bonnes conditions, on pourra même ajouter la laitue à cette liste.

Plusieurs légumes et herbes peuvent aider leurs voisins à mieux résister aux insectes. Les chercheurs ont fait beaucoup de recherches pour comprendre pourquoi certaines plantes attiraient les insectes. Ils en sont venus à une conclusion que tous les jardiniers connaissent depuis longtemps : les insectes préfèrent les plantes qui ont une forte concentration d'acides aminés, une telle concentration étant favorisée par une mauvaise alimentation. Les cultures organiques faites dans des sols riches et équilibrés présentent une concentration d'acides aminés inférieure à celles faites avec des produits chimiques. Ces légumes organiques sont moins intéressants pour les insectes.

Le tableau des pages 100 et 101 présente les variétés de légumes et de céréales qui résistent le mieux ou le moins bien à divers insectes.

Légumes résistant aux maladies et à la température

Asperge : la variété *Mary Washington* résiste à la rouille.

Aubergine : la variété *Faribo Hybrid* résiste aux maladies.

Cantaloup : la variété *Edisto* résiste aux maladies et au mildiou. La variété *Mainerock* résiste à la flétrissure. La variété *Saticoy* résiste au mildiou poudreux et ses fruits sont sans tache. La variété *Harvest Queen*, résiste à la fusariose.

Chou : les variétés *Stonehead hybrid, Wisconsin Hollander n° 8, New Wisconsin Ballhead* et *Wisconsin all season* résistent au jaunissement.

Chou frisé : la variété *Dwarf Blue Curled Vates* supporte le gel.

Concombre : la variété *Marketmore* résiste à la gale et à la mosaïque. La variété *Polaris* résiste à l'anthracnose, au mildiou poudreux ou duveteux. Les variétés *Burpees Hybrid, Total marketer, Park's Comanche* et *Poinsett* résistent au mildiou poudreux et duveteux. La variété *Salty* résiste au mildiou poudreux, à la mosaïque des concombres et à la gale.

Épinard : la variété *Hybrid nº 7* résiste au mildiou duveteux.

Haricots : les variétés *Topcrop, Tendercrop* et *Harvester* résistent à la mosaïque. La variété *Wade* résiste à la mosaïque et au mildiou poudreux.

Laitue : la variété *Oakleaf* résiste à la chaleur. Les variétés *Butter King Bibb* et *Limestone* tolèrent la chaleur. La variété *Premier Great Lakes* résiste aux brûlures et à la chaleur.

Maïs sucré : les variétés *Golden beauty* et *Silver Queen* résistent aux maladies.

Melon d'eau : la variété *Faribo Striped Giant Hybrid* résiste à la fusariose. La variété *Dixie Queen* résiste à la flétrissure.

Navet : la variété *Tokyo Cross* résiste aux virus et aux maladies.

Pois : la variété *Eartly Alaska* résiste à la flétrissure. La variété *American Wonder* résiste à la sécheresse.

Poivron : la variété *Yolo Wonder* résiste à la mosaïque du tabac.

Radis : la variété *Cherry Belle* résiste à l'hypotrophie.

Tomate : la variété *VF Tomato* résiste au verticillium et à la fusariose. La variété *Sunray* résiste à la fusariose. La variété *Sunset Starfire* résiste aux brûlures du soleil. La variété *Monte Carlo* résiste à plusieurs maladies.

Cette liste ne peut être exhaustive, car de nouvelles variétés sont développées chaque jour. Les lecteurs et lectrices devront compléter et adapter ces tableaux selon leurs besoins. À cause des particularités de notre climat, de nombreuses variétés mentionnées ne sont pas utilisées au Canada, alors que plusieurs, qui croissent avec succès, n'ont pas été testées sur leur résistance à certains insectes ou à certaines maladies. Lisez attentivement les indications données dans les catalogues au sujet de la résistance des légumes.

Plante	Insecte	Variété résistante	Variété vulnérable
Blé	Mouche des tiges du blé	*Rescue*	*Tenmarq*
		Chinook	*Bison*
		Ottawa	*Turkey*
		Ponca	*Kharkoff*
		Pawnee	*Kanred*
		Big Club 43	*Oro*
		Dual	*Cheyenne*
		Russell	*Minturki*
		Todd	*Zimerman*
		Dawson	
		Honor	
		Illini Chief	
		Fulhard	
		Red Rock	
		Michigan Wonder	
	Mouche de Hesse	(modérément résistante)	
		Blackhull	
		Superhard	
		Early Blackhull	
		Harvest Queen	
		Red Winter	
		Fulcaster	
Cantaloup	Chrysomèle du concombre	*Hearths of Gold*	*Smith Perfect*
			Crenshaw
Chou	Fausse arpenteuse du chou et puceron du chou	*Savoy Chieftan*	*Golden Acre*
		Red Acre	
		Mammoth Rock	
		Red	
		Ferry's Hollander	
Concombre	Chrysomèle du concombre	*Stono*	
		Fletcher	
		Niagara	
Courge	Punaise de la courge	*Butternut*	*Striped Green*
		Tablequeen	*Cushaw*
		Royal Acorn	*Pink Banana*
		Sweet Cheese	*Black Zucchini*
		Early Golden	
		Bush Scallop	
		Early Summer	
		Crookneck	
		Early Prolific	
		Straightneck	
		Improved Green	
		Hubbard	
	Chrysomèle du concombre	*Royal Acorn*	*Caserta*
		Early Golden	*Black Zucchini*
		Bush Scallop	

Plante	Insecte	Variété résistante	Variété vulnérable
Luzerne	Coliade de la luzerne	*Cody* *Lahontan* *Zia*	*Buffalo*
Maïs	Pyrale du maïs	*Dixie 18* (fourrage) *Calumet* (sucré)	
Orge	Puceron vert des graminées	*Omugi* *Dictoo* *Will*	*Rogers*
Pomme de terre	Altise de la pomme de terre Aphidiens (pucerons)	*Sequoia* *British Queen* *DeSota* *Early Pinkeye* *Houma* *Irish Daisy* *LaSalle*	*Katahdin* *Irish Cobbler* *Idaho Russet* *Sebago* *Sequoia*

Légumineuses

Les fermiers et jardiniers ont appris depuis longtemps à faire la rotation des cultures pour profiter de l'accroissement de fertilité du sol que procurent les légumineuses. Ces plantes, qui comprennent les pois, les fèves, les haricots, les trèfles, les arachides et la luzerne, ont des bactéries qui fixent l'azote dans les racines et qui combinent l'azote aux sucres pour former les protéines. Chez les légumineuses, ces bactéries vivent sur les racines dans de petits renflements appelés nodosités.

Le trèfle et les autres légumineuses peuvent servir d'engrais vert avant une culture de blé ou de maïs. En se décomposant, la légumineuse enrichira le sol en azote sans qu'il soit nécessaire de recourir à un fertilisant commercial.

La croissance et l'utilisation du trèfle illustrent bien les étapes du cycle de l'azote.

1. L'azote contenu dans l'air est transformé en protéines par les bactéries qui se trouvent dans les nodosités des racines du trèfle.

2. Après l'enfouissement, les protéines du trèfle se transforment en azote ammoniacale (ammoniaque) sous l'effet d'une bactérie du sol qui stimule l'ammonisation.

101

3. L'ammoniaque se transforme ensuite en nitrate grâce à une bactérie, le nitrobacter.

4. L'ammoniaque et le nitrate sont ensuite utilisés par les plantes pour former les protéines nécessaires à leur croissance.

Liliacées *(Liliaceae)*

Les oignons à fleurs font partie de la famille des liliacées. Les légumes de cette famille *(Allium)* sont l'ail, la ciboulette, le poireau, l'oignon et l'échalote. Elle comprend également des fleurs ornementales, comme le lis, la tulipe, la jacinthe et le muguet, qui accompagnent bien les roses, car elles les protègent contre les aphidiens (pucerons) et les autres insectes. Elles demandent les mêmes soins que les oignons et sont très faciles à cultiver. Les plantes de cette famille éloignent aussi les taupes.

Les oignons à fleurs demandent beaucoup de compost, mais pousseront bien dans un sol sec. Plusieurs variétés, comme l'*Allium giganteum*, peuvent atteindre 2 mètres de hauteur et porter des fleurs de 20 cm de diamètre. Les bulbes ne donnent pas seulement des fleurs bleues ou mauves, mais aussi des fleurs blanches, jaunes, roses ou écarlates. Les variétés les plus grosses devraient être réservées aux climats venteux. Les liliacées résistent bien à l'hiver et peuvent rester vivaces plusieurs années.

Lin *(Linum usitatissimum)*

Le lin est un bon voisin pour les carottes et les pommes de terre, dont il améliore la croissance et la saveur. Le lin semé à proximité des pommes de terre les protégera contre les doryphores de la pomme de terre (voir le chapitre « Plantes toxiques »).

La caméline cultivée *(Camelina sativa)* ou petit lin, que l'on trouve souvent dans les champs de lin, a un effet négatif sur le lin lui-même.

Liseron *(Convolvulus)* — Gloire du matin

En cultivant les liserons avec le maïs, les Amérindiens ont probablement été les premiers à profiter du bon voisinage des plantes. On croit également que les graines de liseron stimulent la germination des graines de melon.

Les graines de liseron germeront plus rapidement si l'on y verse de l'eau bouillante avant de les recouvrir de terre. Cela ne nuit pas aux graines, mais ramollit l'enveloppe afin qu'elles germent plus vite. Les autres graines très dures peuvent être traitées de la même façon.

Ces plantes grimpantes se reproduisent très bien.

Liseron sauvage — Liseron des haies

Les Amérindiens nous ont appris que le liseron sauvage était bénéfique au maïs ; cependant, si on le laisse monter en graine, il peut rapidement s'étendre et devenir indésirable. On peut le détruire en versant un peu de vinaigre blanc au centre de chaque plant.

Le liseron sauvage est bénéfique pour le maïs, ainsi que pour les vergers.

Livêche *(Levisticum officinale)*

La livêche plantée ici et là favorise la croissance et le développement de la saveur des autres plantes. On peut utiliser cette herbe pour remplacer le sel en cuisine. Elle est délicieuse saupoudrée sur les salades, de même que dans les biscuits au fromage. Elle peut remplacer le bouillon de viande dans les plats qui ont besoin d'être relevés et elle est excellente dans les soupes et les plats mijotés.

La livêche supporte bien l'hiver, mais ses racines doivent être protégées dans les climats très froids.

Lupin *(Lupinus perennis)*

Parfois appelé pois sauvage, le lupin a des fleurs bleues , roses ou blanches en forme de papillon qui rappellent son appartenance à la famille des légumineuses.

Les fermiers croyaient autrefois que le lupin réduisait la fertilité des sols, d'où ce nom dérivé de *lupus* qui signifie loup en latin. En réalité, le lupin favorise la croissance du maïs et de la plupart des cultures.

Les lupins croissent sur les talus, dans le gravier et aux endroits exposés au soleil. Ils aiment les sols pauvres où leurs racines plongent à des profondeurs étonnantes, laissant derrière elles des sols aérés. Ce sont des pionniers qui colonisent de nouvelles terres.

La fleur du lupin est de celles qui dorment la nuit. Certaines replient leurs folioles non seulement la nuit, mais aussi le jour, lorsqu'il y a un mouvement dans les feuilles. À cause de cette particularité, on surnomme souvent le lupin le cadran solaire. Parmi les quelque 100 espèces de lupin qui vivent en Amérique du Nord, certaines contiennent un alcaloïde toxique tandis que les graines d'autres espèces sont comestibles.

Luzerne cultivée *(Medicago sativa)*

De toutes les légumineuses, la luzerne est la plus efficace pour fixer l'azote. Un acre de luzerne peut fixer plus de 100 kg d'azote par année. À cause de ses longues racines, la luzerne a besoin d'un sol profond exempt de couches dures ou rocheuses. Des recherches ont démontré que les racines pouvaient plonger jusqu'à plus de 40 mètres et que leur profondeur moyenne était de 7 à 10 mètres.

La profondeur de ses racines est ce qui permet à la luzerne de se nourrir à même des strates riches en minéraux et inexploitées. La luzerne est riche en fer et contient également du phosphore, du potassium, du magnésium et d'autres minéraux.

On peut faire germer les graines de luzerne dans la cuisine ou la cultiver pour ses feuilles dans le jardin. Elle stimule et active la décomposition des ordures ménagères pour en tirer du compost.

La luzerne affectionne les mêmes terrains que les pissenlits. Les pissenlits ont aussi des racines profondes et leur présence indique que le sous-sol est facile à pénétrer. Dans les pâturages, la luzerne forme un écran protecteur pour les herbes ayant des racines peu profondes et leur permet de mieux supporter la sécheresse.

Lychnide *(Lychnis floscuculi)*

Les racines de tous les membres de la famille des caryophyllacées contiennent de la saponine, une substance qui produit une mousse savonneuse lorsqu'elle est mélangée à l'eau. Avant l'invention du savon, les racines de lychnide et de saponaire étaient employées pour la lessive. Le silène muflier, un membre intéressant de cette famille, porte des fleurs qui ne s'ouvrent qu'en plein soleil et la substance visqueuse de ses tiges constitue un piège pour les mouches. On retrouve cette plante dans l'ouest du Québec, mais elle est plutôt rare.

M

Maïs *(Zea mays)*

Le maïs sucré pousse bien avec les pommes de terre, les pois, les haricots, les concombres, les citrouilles et les courges. Des recherches ont démontré que le drageonnement des plants de maïs était aussi inutile que nuisible pour les épis. Les pois et les haricots aident le maïs en enrichissant le sol en azote. Qui n'a pas entendu l'histoire des Indiens qui mettaient un poisson dans chaque champ de maïs ?

Les melons, les courges, les citrouilles et les concombres apprécient l'ombre des plants de maïs et les protègent en échange contre les ratons laveurs, qui n'aiment pas circuler entre des plantes grimpantes denses. On pourra planter des haricots grimpants qui s'accrocheront aux tiges des plants de maïs. Ne plantez pas de tomates à proximité du maïs, car le même insecte s'attaque aux deux plantes.

Un reportage scientifique britannique publié en 1970 faisait état de ce qui suit : « L'incidence réduite des légionnaires et un accroissement de la culture sont obtenus en plantant en alternance un rang de maïs et un rang d'hélianthes. »

Marijuana

Voir *Chanvre cultivé.*

105

Marjolaine *(Marjorana hortensis)*

Cette petite plante facile à cultiver est l'une des plus vieilles fines herbes. La marjolaine comprend trois espèces différentes qui sont membres de la famille des labiacées.

La marjolaine, une plante annuelle, est la plus utilisée comme herbe aromatique, surtout dans les saucisses. Cette herbe était connue des Grecs, qui lui ont donné son nom qui signifie « joie de la montagne ». Ses qualités comme désinfectant et comme agent de préservation en faisaient une herbe de valeur au Moyen-Âge.

Le souci officinal (voir *Souci*) est une plante vivace qui a beaucoup moins de saveur, mais qui est plus facile à cultiver.

L'origan *(Origanum vulgare)* — aussi appelé marjolaine sauvage — est une plante cultivée que l'on rencontre parfois échappée de culture. Il a un parfum dont l'intensité varie selon l'endroit où il pousse. Cette herbe est employée dans les mets italiens, mexicains et espagnols. En plus d'être un stimulant, on croit que l'origan a aussi des propriétés médicinales, car il contient du *thymol*, un antiseptique puissant utilisé par voie interne ou externe. Toute la plante est couverte de glandes poilues contenant des huiles. L'arôme de l'origan, qui rappelle celui du thym, est très durable et reste intense même dans les tiges et les feuilles séchées.

Dans le jardin, la marjolaine a un effet bénéfique sur toutes les plantes voisines, dont elle favorise à la fois la croissance et le développement de la saveur.

Marmotte

Si vous avez des problèmes avec les marmottes, vaporisez les plantes qu'elles mangent avec une solution d'eau et de piments forts.

Mauvaises herbes

On a déjà dit que les mauvaises herbes sont des plantes qui se trouvent au mauvais endroit. Je penche plutôt vers la définition qu'en donnait Ralph Waldo Emerson : « Les mauvaises herbes sont des plantes dont les vertus sont encore méconnues. » Les mauvaises herbes utilisées avec discernement peuvent aider les autres plantes. Bien sûr, on ne doit pas les laisser prendre le

106

dessus sur les légumes, mais quelques touffes laissées ici et là peuvent avoir une influence bénéfique.

Les fortes racines des mauvaises herbes percent le sous-sol en le brisant et rendent sa pénétration plus facile pour les plantes qui cherchent de la nourriture et de l'eau. Quelques mauvaises herbes seront utiles pour faire de l'ombre aux jeunes plants de légumes qui risqueraient de brûler au chaud soleil d'été. De plus, les racines des mauvaises herbes feront remonter l'humidité à un niveau accessible aux jeunes plants de légumes.

Les herbes aux racines très profondes, comme le cycloloma, le chénopode et le chardon, tirent des minéraux du sous-sol jusque dans leurs tiges et leurs feuilles. Lorsque ces mauvaises herbes sont retournées, les minéraux qu'elles contenaient deviennent disponibles pour des plantes dont les racines sont moins profondes.

En outre, les mauvaises herbes semblent accumuler les éléments nutritifs qui sont particulièrement déficients dans le sol. Des mauvaises herbes comme le rumex petite-oseille et le plantain, qui se développent bien dans des sols acides, sont riches en minéraux alcalins comme le calcium et le magnésium. La fougère, qui pousse bien dans un sol pauvre en phosphore, contient un taux élevé de phosphore. En retournant ces mauvaises herbes, on rendra ces minéraux au sous-sol et ils deviendront disponibles pour d'autres cultures.

Les mauvaises herbes conditionnent aussi le sol. Leurs longues racines laissent des fibres organiques qui se décomposent et enrichissent le sol. De plus, elles laissent des canaux de drainage et d'aération. Les pissenlits laissent des canaux souterrains utilisés par les vers de terre, qui enrichiront le sol à leur tour. La texture du sol est améliorée par les mauvaises herbes, qui contribuent également à la multiplication des bactéries.

Il est utile de bien connaître les mauvaises herbes, car elles sont d'excellents baromètres du type de sol où elles poussent.

Les mauvaises herbes qui aiment les sols acides et qui indiquent une augmentation de l'acidité sont les patiences, les renouées persicaires et l'oseille.

Les mauvaises herbes qui indiquent la formation d'une croûte dure sont le thlaspi des champs, le liseron, la moutarde des champs, la camomille et le chiendent.

Les mauvaises herbes qu'on trouve généralement sont le mouron des oiseaux, la renoncule des champs ou bouton d'or, le pissenlit, le chénopode, le plantain, l'ortie, la renouée, la laitue serriole, la véronique des champs, les mauves, et le mollugo verticillé.

Les sols sablonneux sont favorables aux laitues sauvages, à la linaire vulgaire, à l'aster éricoïde et à la plupart des verges d'or ou solidago.

Dans les sols alcalins, on trouve l'armoise tandis que les terrains secs accueillent la lépidie densiflore, l'herbe au chantre, le pâturin du Canada, le thlaspi des champs, le chardon, la houstonie bleue et la camomille .

Si les mauvaises herbes poussent bien, les légumes pousseront probablement aussi bien. Laissez les mauvaises herbes croître au maximum et coupez-les avant qu'elles montent en graine. Laissez-les sécher quelques jours et enfouissez-les à la manière d'un engrais vert.

Vous les trouverez si utiles pour votre tas de compost que vous irez peut-être en cueillir en bordure des routes. Vous y trouverez des orties, des achillées millefeuille et des trèfles d'odeur ou mélilots. Ces herbes doivent être bien compostées pour détruire leurs graines avant d'être mises dans le jardin.

Les mauvaises herbes ne sont pas nécessairement des ennemies. Avec du savoir-faire, elles peuvent devenir des alliées précieuses.

Mélilot *(Melilotus alba* et *M. officinalis)*

Sans être un véritable trèfle, le mélilot est quand même une légumineuse. Les mélilots blancs ou jaunes vivent deux ans et leurs grosses racines plongent profondément dans le sol. À la fin de la deuxième année, ils se décomposent pour enrichir le sol en azote et en matières végétales.

Le mélilot est aussi appelé trèfle d'odeur.

Le foin abîmé ou mal ensilé du mélilot ne devrait jamais servir à nourrir les animaux. Le foin contient de la coumarine, un anticoagulant, qui devient toxique à mesure que le mélilot se décompose et qui peut provoquer des hémorragies internes ou externes.

Mélisse *(Melissa officinalis)*

La mélisse, souvent appelée herbe à abeilles, est connue depuis longtemps pour son arôme de citron et sa saveur de miel. Mélissa, qui est le nom générique, signifie abeille en grec et une vieille croyance veut que les abeilles ne quittent pas les abords de la ruche lorsqu'il y a de la mélisse à proximité. Pline a écrit : « Lorsque les abeilles s'éloignent, elles retrouvent le chemin du retour grâce à elle ».

Une infusion de mélisse ou citronnelle calme le système nerveux et stimule le cœur. Son effet relaxant peut même soulager un mal de tête ou une migraine. Dans les pâturages, elle augmente la quantité de lait donné par les vaches et elle est excellente en infusion avec de la marjolaine pour les vaches qui ont mis bas.

Melon *(Cucurbitaceae)*

La rotation des cultures est peut-être la meilleure arme contre les insectes indésirables, mais il est inutile de remplacer les melons par des courges ou des concombres, car ils appartiennent tous à la famille des cucurbitacées.

Le choix du moment de la mise en terre est aussi important. La plupart des cucurbitacées ne sont plus vulnérables aux insectes perceurs lorsqu'ils ont passé le stade de jeune plant. Essayez donc de les planter plus tôt ou plus tard.

Ne plantez pas de melons près des pommes de terre. Cependant, ils pousseront bien avec le maïs et les hélianthes. Les liserons (gloires du matin) stimulent semble-t-il la germination des graines de melon.

Du papier paraffiné épais placé sous les melons les protégera contre les vers. La poudre de *Schoenocaulon officinalis* (sabadilla) est également efficace. Les feuilles de melon sont riches en calcium et peuvent enrichir le tas de compost.

Melon d'eau *(Citrullus vulgaris)*

Le melon d'eau ou pastèque peut être planté en rangs alternés avec des pommes de terre, particulièrement si ces dernières ont un paillis de paille. L'hybride sans pépin, qui ne produit pas de pollen, aura une meilleure productivité en compagnie d'un bon pollinisateur comme le *Sugar Baby*. Le melon d'eau a besoin de beaucoup de soleil ; il ne faut donc pas le planter près de légumes qui jettent de l'ombre.

Menthe *(Mentha)*

La menthe fait bon ménage avec le chou et les tomates, dont elle favorise la croissance et le développement de la saveur. Les tomates et la menthe seront plus vigoureuses si elles sont à proximité d'orties brûlantes. Les menthes croîtront bien sous un noyer grâce, entre autres, à l'ombre qu'il jette.

La menthe éliminera le papillon blanc du chou en faisant fuir sa chenille. La menthe à épis ou menthe verte éloignera les fourmis éleveuses d'aphidiens (pucerons) des plantes voisines (voir aussi *Menthe poivrée* et *Menthe à épis*).

La menthe éloigne aussi les mites des vêtements et les altises noires. Des feuilles de menthe placées sous la cage des lapins feront fuir les mouches, tandis que des feuilles séchées (ou de l'huile de menthe) tiendront les souris et les rats à l'écart.

La menthe à épis éloigne les fourmis éleveuses d'aphidiens (pucerons) et peut-être aussi les rongeurs.

Menthe à épis *(Mentha spicata)*

La menthe à épis est aussi appelée menthe verte ou baume (voir *Menthe*).

110

Menthe poivrée *(Mentha piperita)*

De toutes les herbes, la menthe poivrée est celle qui demande le plus d'humidité et d'humus. Elle profitera d'une petite quantité d'engrais de poulet bien décomposé.

La menthe poivrée chasse les fourmis rouges des arbrisseaux et, plantée parmi les choux, elle éloignera le papillon blanc du chou. Si on la plante avec de la camomille, la menthe poivrée produira moins d'huile, mais la camomille en produira plus. La menthe produira plus d'huile si elle est plantée à proximité de l'ortie brûlante.

La menthe noire se distingue des autres par ses tiges violettes et ses feuilles d'un vert foncé. Elle donne un arbuste d'environ un mètre qui est couronné au milieu de l'été par de jolies fleurs de couleur lavande. Elle est largement utilisée à des fins commerciales et médicinales (voir *Menthe*).

Menthe verte

Voir *Menthe à épis.*

Micro-climat

On peut tirer avantage d'un micro-climat engendré par une caractéristique du terrain, comme un étang qui tempère l'air. On peut aussi créer un micro-climat en variant les cultures, en ajoutant une haie ou en couvrant une clôture de plantes grimpantes. Une haie est un coupe-vent permanent, mais un rang de maïs pourra rapidement servir aux mêmes fins en jetant de l'ombre et en limitant la circulation d'air sur les plantes plus fragiles. Il en va de même pour les plantes grimpantes, comme les vignes ou les concombres, qui devront être bien arrosées pendant l'été, surtout si elles sont exposées au soleil de l'ouest.

Si vous avez la chance d'avoir un étang sur votre terrain, vous pourrez sans doute faire pousser des plantes qui exigent beaucoup d'humidité, alors que vos voisins ne le pourront pas.

Mil
Voir *Phléole des champs*

Mildiou *(Erysiphacea)*

Le mildiou est un champignon qui se nourrit de plantes vivantes. Lorsque les conditions d'humidité sont adéquates, le vent transporte ses sporanges (petites graines) qui collent aux feuilles des plantes. Le mycélium se répand ensuite pour couvrir les feuilles d'une moisissure blanche et duveteuse. Ce type de champignon ne se développe pas à l'intérieur de la plante, mais s'alimente à même sa sève et la plante se couvre de moisissure en quelques jours. Apparaissent ensuite sur la moisissure de petits points noirs contenant des milliers de spores destinées à la reproduction.

Comme il est visible, le mildiou est plus facile à contrôler que d'autres champignons. On peut le combattre en vaporisant une infusion de prêle. Lorsque les prêles sont disponibles, on prépare l'extrait en recouvrant d'eau des plants fraîchement coupés et en les laissant fermenter pendant 10 jours. On dilue ensuite le liquide et on l'utilise en vaporisation. La farine de graines de moutarde et la poudre de soufre ont été utilisées avec succès pour combattre le mildiou sur les cucurbitacées.

Millepertuis commun *(Hypericum perforatum)*

Le millepertuis commun contient une huile rouge parfois utilisée pour soigner les bronchites et les rhumes de poitrine. C'est aussi un astringent qui a été employé contre la diarrhée et la dysenterie. Les feuilles ont de petites cellules remplies d'huile et dégagent une odeur forte et caractéristique. Elles semblent perforées lorsqu'on les tient devant la lumière. On croyait autrefois que la plante cueillie dans la nuit du 24 juin pouvait protéger son possesseur contre les sorcières et les mauvais esprits.

Minéraux

Voir *Plantes.*

Monarde **(***Monarda)*

La monarde favorise la croissance des tomates et augmente leur saveur.

Morelle noire *(Solanaceae)*

Lorsque la morelle prolifère, c'est un signe que le sol est fatigué des cultures à racines. Cette plante attire le doryphore loin des pommes de terre, car cet insecte préfère la morelle, même si elle est toxique. Après en avoir mangé, les doryphores meurent.

Cette famille comprend aussi l'aubergine, la belladone, la douce-amère, la jusquiame, le datura, le tabac, le pétunia, la pomme de terre et la tomate.

Moustiques

Une huile à base d'ail (voir *Ail*) sera efficace pour détruire les larves des moustiques dans un étang. Le bacille thuringiensis de même qu'un composé synthétique trouvé dans le panais sont aussi efficaces contre ces larves.

J'ai découvert que le ricin planté autour du potager permettait d'y travailler le soir sans être ennuyé.

Euell Gibbons dit que l'hedéoma faux-pouliot, qu'il ne faut pas confondre avec l'isanthe, est un insecticide naturel. Une poignée de feuilles écrasées et frottées sur la peau dégagera une odeur agréable tout en chassant les moustiques (voir *Bourse à pasteur*).

Moutarde *(Brassica)*

La moutarde sauvage *(B. kaber)* et la moutarde noire *(B. nigra)* sont réputées pour limiter la prolifération de certains nématodes, mais plusieurs fermiers les considèrent comme des nuisances car elles appauvrissent le sol.

Les sécrétions des racines de moutarde sont utiles dans les sols acides ou surminéralisés qui ont besoin d'un traitement. Semez la moutarde (dans une proportion inférieure à 15%) avec des légumineuses, des plantes grimpantes ou des arbres fruitiers ou utilisez-la comme culture de couverture pour la luzerne.

La moutarde contient aussi une huile qui attire certains insectes et on peut l'utiliser comme culture piège pour contrer les insectes des choux, choux-fleurs, radis, choux-raves, choux de Bruxelles, navets et autres. Comme elle accueille de nombreux insectes et maladies, la moutarde doit être détruite avant de nuire à la culture principale.

On peut contrôler la moutarde sauvage dans les cultures d'avoine en passant le rouleau tôt le matin, alors que les plants sont encore couverts de rosée. L'avoine, qui est plus flexible, se remettra debout tandis que les plants de moutarde seront brisés.

Muguet *(Convallaria majalis)*

Cette plante au délicieux parfum, appelée « fleur de mai », pousse à l'état sauvage dans le sud des Appalaches. Le muguet aime l'ombre et les sols riches contenant de l'humus. Ne mettez pas du muguet dans un même vase que des narcisses, car le muguet fera flétrir les narcisses, sans doute à cause de la toxicité de ses feuilles et de ses fleurs (voir le chapitre « Plantes toxiques »).

Mûrier *(Morus alba* et *Morus rubra)*

Le mûrier blanc est la nourriture préférée des vers à soie et aucun substitut n'a pu changer cet état de chose. Les baies du mûrier rouge ne sont pas comparables aux baies cultivées, mais elles sont très appréciées des volailles et des porcs.

Les mûriers sont particulièrement intéressants pour y faire grimper les vignes. Les raisins seront plus difficiles à cueillir, mais les vignes seront exemptes des maladies causées par les champignons grâce à une meilleure circulation d'air. Les feuilles de mûrier sont utilisées comme vermifuge pour les chevaux et une variété de mûrier sert comme culture piège pour protéger les cerises et les fraises.

Les mûriers vrais *(M. alba et M. rubra)* sont des arbres, et sont plantés rarement au Québec. Ce que nous appelons mûriers chez nous est en réalité un *Rubus*, c'est-à-dire un arbuste proche parent des framboisiers et des ronces.

Mycorhization

La mycorhization est l'association bénéfique d'un champignon (mycorhize) avec une racine. Elle se manifeste sur plusieurs espèces d'herbes, d'arbustes et d'arbres partout dans le monde et la plupart des plantes ligneuses semblent en profiter.

Les champignons qui participent à de telles associations viennent de diverses classes, mais les racines sont souvent courtes, épaisses et sans radicelles.

La nature biologique et physiologique de ces champignons n'est pas encore bien comprise, mais la plupart des chercheurs estiment que cette association est bénéfique pour les deux parties.

Selon les chercheurs, les champignons tirent leur nourriture des racines et facilitent en échange leurs activités physiologiques. Certains croient que les champignons facilitent l'absorption d'eau ou de certaines matières organiques azotées par les racines.

Plusieurs exemples démontrent que ces champignons ont un effet bénéfique. Par exemple, les pins qui poussent dans un sol stérile ou non propice à la formation de champignons croîtront très lentement. Par contre, si le sol contient de ces champignons et qu'ils s'associent aux racines, la croissance des jeunes plants sera rapide et vigoureuse.

La mycorhization est une technique d'avenir pour les cultures. Elle pourrait représenter une alternative naturelle, biologique aux engrais chimiques. Quoique la technique en soit encore au stade expérimental, il semble que certains centres-jardins aient déjà mis en vente ces champignons mycorhizateurs. Ils se présentent sous la forme d'une « poudre » que l'on mélange avec de l'eau. Ce mélange est alors mis en contact avec les racines des plantes que l'on veut ainsi traiter. Les champignons se développeront ensuite et accompliront leur travail.

Chez nous, la mycorhization est connue particulièrement chez les conifères.

La mycorhization est l'association bénéfique d'un champignon avec les racines d'un conifère ou de toute autre plante. Les champignons peuvent transformer un sol rocheux en sol fertile.

N

Narcisse *(Narcissus)*

Des soucis africains *(Tagetes erecta)* plantés un an avant les bulbes de narcisses permettront de se défaire des nématodes qui s'attaquent souvent au bulbe. Ce phénomène est dû à une substance sulfureuse, appelée thiopène, présente dans l'exsudation des racines des soucis. Les œillets d'Inde *(Tagetes patula)* ont une exsudation similaire.

Navet et rutabaga *(Brassica rapa* et *Brassica napobrassica)*

C'est par accident qu'on a découvert que la vesce cultivée et les navets étaient d'excellents compagnons. Des graines de navet se sont mélangées à la vesce qu'un jardinier avait semée et il en est résulté des plants volumineux. Ce jardinier a aussi observé que les feuilles des navets étaient exemptes d'aphidiens (pucerons), apparemment parce que la vesce offrait un abri aux coccinelles qui raffolent de ces insectes. Des cendres de bois parsemées autour de la base des navets permettront de faire échec à la gale.

J'ai observé que les pois et les navets avaient une relation mutuelle bénéfique. Des graines de navet et de radis mêlées à du trèfle augmenteront l'azote contenu dans le sol. Dans la rotation des cultures, il est bon de faire suivre les cultures gourmandes par des cultures qui exigent moins de nourriture, comme les navets et les rutabagas.

Les navets détestent le sisymbre officinal et la renouée. Il ne faut pas faire une rotation des cultures en remplaçant les navets par d'autres membres de la famille des choux comme le brocoli ou le chou-rave. Un composé chimique naturel contenu dans le navet est mortel pour les aphidiens (pucerons), les tétranyques rouges (mites), les mouches domestiques, et les coccinelles des haricots.

Les rutabagas sont cultivés de la même façon que les navets, mais leur croissance est plus lente.

Nématodes

Ces pestes microscopiques sont tenues à distance par les œillets d'Inde, les sauges ou les dahlias. Les sols riches en matières organiques découragent les nématodes, tandis que les asperges les détruisent littéralement. Les tomates plantées avec des asperges seront protégées contre les nématodes et les asperges seront en retour protégées contre les criocères (voir aussi *Ver fil de fer*).

Nénuphar *(Nymphaea odorata)*

Le nénuphar, qui appartient au même genre que le lotus, lance ses longues tiges à partir des fonds vaseux des eaux peu profondes. Ses magnifiques fleurs émergent souvent et peuvent atteindre jusqu'à 20 cm de diamètre. Les nénuphars peuvent être cultivés avec d'autres plantes aquatiques.

Noisetier *(Corylus)* — Coudrier

Dans l'Antiquité, on croyait qu'une baguette de noisetier en forme d'Y avait des pouvoirs surnaturels. Ces baguettes sont décrites dans la Bible et par les Romains, qui les utilisaient pour trouver de l'eau ou des métaux précieux dans le sous-sol.

Les noisetiers procurent des abris et de la nourriture aux animaux sauvages. On les utilise aussi comme arbres décoratifs ou pour faire de l'ombre aux autres plantes.

Les noisetiers sont utiles dans les pâturages pour éloigner les mouches. Les vaches aiment grignoter leurs feuilles, ce qui augmente la teneur en gras du lait tout en nettoyant leur système digestif.

Noisetier de sorcière

Voir *Hamamélis de Virginie.*

Noyer cendré *(Juglans cinerea)*

Voir *Noyer noir.*

Noyer noir *(Juglans nigra)*

Les feuilles du noyer noir dégagent une substance appelée *juglone* qui nuit à la croissance de plusieurs plantes de son entourage. Les plantes cultivées qui ne sont pas compatibles avec le noyer noir sont les pommes, la luzerne, les pommes de terre, les tomates, les ronces à fruits noirs, les azalées et les rhododendrons. Le noyer cendré semble lui aussi dégager une substance, mais les plantes voisines sont moins gravement atteintes.

Le noyer noir n'a pas que des défauts. En plus de donner des noix délicieuses, ses feuilles répandues autour de la maison ou dans le chenil éloigneront les puces.

Pour prévenir les coups de soleil, frotter la peau avec des feuilles fraîches de noyer. On dit que le jus noir de la coquille de noix appliqué sur la teigne tonsurante peut guérir le cuir chevelu.

Plusieurs croient que la toxicité du noyer vient de ses racines et de ses feuilles et que c'est pour cette raison que les autres plantes ne poussent pas autour. Pourtant, exactement à l'endroit où s'égoutte un gros noyer noir, j'ai une plate-bande d'iris multicolores plantés en alternance avec des hémérocalles, des jacinthes et des jonquilles en parfaite santé.

O

Œillet d'Inde *(Tagetes)* — Marigold

Ces jolies fleurs au parfum intense éloignent les nématodes qui s'attaquent aux pommes de terre, aux fraises, aux rosiers et à plusieurs plantes bulbeuses, surtout lorsqu'on les cultive pendant plusieurs saisons aux endroits où l'on soupçonne la présence de nématodes. Des expériences ont démontré que les œillets d'Inde peuvent éloigner les *pratylenchus pratentis* pendant trois ans et contrôler les autres nématodes pendant au moins une année sans nuire aux plantes.

Pour contrôler les nématodes, on peut aussi alterner les plants d'œillets d'Inde avec des plantes vulnérables. Pour diminuer la compétition, il est sage de planter les œillets d'Inde au moins deux semaines après les plants qu'ils doivent protéger.

Les œillets d'Inde contrôlent les nématodes par une substance chimique que dégagent ses racines et qui les tue dans le sol. Cependant, le processus est lent. La première année, les fleurs peuvent sembler inefficaces mais leur effet se fera sentir au cours des années subséquentes lorsque la population de nématodes aura diminué.

Les tomates plantées en alternance avec des œillets d'Inde croîtront mieux et seront plus productives. Plantés avec des haricots, les œillets d'Inde éloigneront la coccinelle mexicaine

118

des haricots. Les œillets d'Inde aident également à contrer les mauvaises herbes. Les plus vieux plants, dont les fleurs et les feuilles dégagent une forte odeur, sont les plus efficaces.

Oignon *(Allium cepa)*

Les oignons et tous les membres de la famille des choux font bon ménage. Ils aiment également les betteraves, les fraises, les tomates, la laitue, la sarriette et la camomille (en petite quantité), mais détestent les pois et les haricots.

Comme les asticots de l'oignon se déplacent d'un plant à l'autre lorsqu'ils sont en rang, répartissez vos oignons à travers le jardin.

Une substance toxique contenue dans les pigments de la pelure des oignons rouges et jaunes est apparemment associée avec la résistance aux maladies. Un biologiste russe a découvert qu'une solution faite de pelure d'oignon et d'eau, vaporisée 3 fois par jour pendant 5 jours consécutifs, détruisait complètement les hémiptères, un parasite qui s'attaque à une centaine d'espèces de plantes.

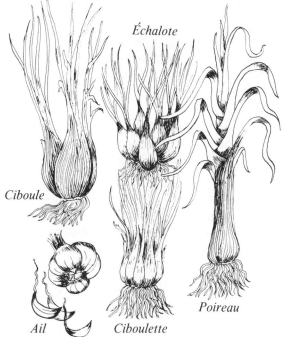

Échalote

Ciboule

Ail *Ciboulette* *Poireau*

La famille des oignons est la meilleure amie du jardinier.

119

Oiseaux

Les oiseaux sont reconnus comme étant les meilleurs insecticides, plus particulièrement l'hirondelle noire, qui capture des insectes en vol, et ce, de manière presque incessante. Des cabanes bien conçues et placées loin des grands arbres attireront les hirondelles. De la nourriture et un bassin d'eau encourageront aussi les autres oiseaux à faire leurs nids près du jardin.

Les oiseaux sont particulièrement attirés par les micocouliers, les aronias, les sureaux, les chèvrefeuilles de Tartarie, les cornouillers, les berbéris, les framboisiers, les viornes, les aubépines et les hélianthes. Les conifères et les buissons épineux leur fourniront des abris de choix pour la construction de nids.

Les oiseaux peuvent cependant devenir trop nombreux et s'attaquer aux cultures. Voici un truc qui nous vient des Chinois : lorsque les fruits commencent à mûrir, suspendez une tranche d'oignon aux arbres. Les oiseaux détestent l'odeur des oignons et s'en tiendront loin. Des boîtes de lait vides suspendues à des bouts de ficelle pour qu'elles bougent au vent feront fuir plusieurs oiseaux. Changez-les de place à l'occasion et ajoutez-y des rubans ou des bandes de tissu.

Si les corneilles s'attaquent au maïs ou aux melons d'eau, plantez plusieurs piquets et attachez des ficelles blanches qui se croisent au-dessus du jardin. Les oiseaux y verront un piège et ils éviteront le terrain.

Ombre

L'ombre joue parfois un rôle capital dans le bon voisinage des plantes. La nature n'aligne pas les plantes comme nous le faisons dans nos jardins. Plantez des radis dans un lit de 30 cm de largeur sans les éclaircir. Plantez des laitues à croissance rapide entre des choux, des brocolis, des choux de Bruxelles ou même des tomates, qui donneront de l'ombre aux jeunes plants pendant leur croissance. Les laitues seront récoltées avant que ces légumes à croissance lente aient besoin de l'espace. Vous obtiendrez ainsi deux cultures dans le même espace, tout en découvrant que les choux font assez d'ombre pour que les laitues restent croustillantes même pendant les chaleurs d'été.

Les hirondelles noires éliminent des vergers et des jardins un nombre incalculable d'insectes nuisibles, en les capturant en vol.

Si vous plantez des betteraves hâtives avec des pommes de terre tardives, ces dernières protégeront les betteraves du soleil et elles seront tendres et succulentes même pendant la canicule.

Plantez des melons entre les rangs d'oignons ; lorsque les oignons seront récoltés, les melons prendront l'espace libre. De plus, les oignons protégeront les tiges rampantes des melons contre les insectes.

Après avoir récolté les épis de maïs, laissez les tiges en place pour qu'elles jettent de l'ombre sur une culture de choux, de haricots, de pois ou de navets. À l'arrivée de l'automne, lorsque le soleil sera moins fort, vous pourrez enlever les tiges et les utiliser comme paillis.

Les menthes aiment l'ombre et peuvent être plantées sous les arbres. L'aspérule odorante, qui est un excellent couvre-sol, aime aussi l'ombre et retiendra l'humidité nécessaire aux plantes qui lui font de l'ombre. L'estragon et le cerfeuil aiment l'ombre partielle.

Origan *(Origanum vulgare)*

Semez avec le brocoli pour éloigner les papillons blancs du chou (voir *Marjolaine*).

Orme *(Ulmus)*

Les vignes qui grimpent aux arbres profitent à la fois de la circulation de l'air et de la lumière du soleil. C'est en frappant les feuilles, plus que les fruits eux-mêmes, que le soleil fait mûrir les fruits. Les ormes constituent un support idéal pour des vignes.

L'orme gras *(U. rubra)* est aussi connu sous le nom d'orme rouge à cause de la couleur de son bois. Lorsqu'on enlève son écorce, on peut y gratter une substance délectable qui apaisera la soif ou la faim. L'intérieur de l'écorce, séché, moulu et mélangé à du lait, est un bon tonique. Les fièvres et les inflammations aiguës étaient autrefois traitées avec de l'écorce d'orme. Un cataplasme soignera aussi les maux de gorge et de poitrine.

Ortie dioïque *(Urtica dioica)*

Les plantes qui croissent dans le voisinage de l'ortie dioïque ou grande ortie sont plus résistantes aux insectes. Elle aide les plantes à résister aux poux, aux limaces et aux escargots lorsque le temps est humide ; elle favorise la croissance de la menthe et des tomates et donne plus d'arôme aux herbes comme la valériane, l'angélique, la marjolaine, la sauge et la menthe poivrée. L'ortie ralentit la fermentation et garde les fruits exempts de moisissure, ce qui en facilite la conservation. Les fruits enveloppés dans du foin d'ortie mûrissent plus rapidement. L'ortie dioïque en solution peut stimuler la fermentation des piles de compost ou d'engrais.

On peut obtenir de bons résultats plus aisément en plaçant les orties, avant que leurs grains soient mûrs, en couches dans les piles de compost. La plante contient de l'acide carbonique et de l'ammoniaque qui sont sans doute responsables de l'activation du compost. Si l'espace le permet, il est préférable de cultiver les orties loin du jardin, car elles se répandent très vite.

Euell Gibbons rapporte que les feuilles d'ortie dioïque mélangées à des feuilles de raifort font une délicieuse salade. Elles se mélangent aussi bien avec de la laitue ou des épinards.

Comme les orties sont riches en minéraux et en fer, elles constituent un bon remède contre l'anémie en activant la circulation du sang et en agissant comme stimulant. Les feuilles, riches en protéines, sont également bonnes pour nourrir les animaux en autant qu'elles sont déchiquetées et séchées. La santé des chevaux en sera améliorée et les vaches donneront plus de lait et un lait plus riche. Lorsque de la poudre de feuilles d'ortie est ajoutée à la nourriture des poules, ces dernières pondent plus d'œufs et leurs œufs ont une meilleure valeur nutritive. Les poulets et les dindons alimentés aux orties se développeront plus rapidement et seront plus gras. Même les engrais provenant d'animaux nourris aux orties seront meilleurs que les autres.

Portez des gants pour repiquer les jeunes plants, car les poils des feuilles et des tiges contiennent de l'acide formique qui irrite la peau. L'irritation peut être traitée avec du jus d'ortie ou en frottant la peau avec des impatientes, de la rhubarbe ou n'importe quel membre de la famille de l'oseille.

Même si l'ortie dioïque irrite la peau, ses jeunes feuilles sont comestibles. Le foin d'ortie est un bon aliment pour les animaux, un élément activant pour le compost et un vaporisateur utile.

123

P

Paillis

Un paillis est tout ce qui retarde la perte d'humidité, mais les paillis organiques, qui ajoutent des éléments nutritifs au sol, sont les plus utiles. Ils se composent d'écorce hachée, de gousses de sarrasin, d'épis de maïs, de branches de canneberges, d'aiguilles de conifères, de gazon coupé, de foin, de houblon, de feuilles (surtout les feuilles de chêne qui éloignent plusieurs insectes), d'engrais, d'écailles d'arachides, de mousse de tourbe, d'aiguilles de pin (idéales pour augmenter la force des tiges et la saveur des fraises), de litière de poules, de foin salin, de bran de scie, d'algues, d'orties dioïques, de paille, de tiges de plants de tabac ou de copeaux de bois.

Paillis de bran de scie

Il y a beaucoup de choses à dire sur les avantages et les inconvénients du paillis de bran de scie. Les paillis de ce type sont très inflammables, le bran de scie frais peut épuiser l'azote du sol et il n'est pas bon de l'utiliser en été car les vers de terre l'éviteront.

Par contre, un paillis de bran de scie convient aux framboises et devrait être mis immédiatement après la transplantation des plants. Mélangé à de l'engrais animal, il constitue un paillis acceptable pour plusieurs plantes ou arbustes.

La sorte d'arbre duquel provient le bran de scie est un élément important. Le bran de scie de pin se décomposera très lentement si on ne l'expose pas d'abord aux intempéries afin qu'il devienne gris. Le bran de scie de bois dur pourrira plus rapidement que le pin, l'épinette ou le cèdre s'il est vieilli avant usage.

Il est bon de mélanger le bran de scie à d'autres éléments. Des études ont démontré que le tanin et la terpène contenus dans le bran de scie ne font que très peu de tort au sol. Les copeaux et le bran de scie utilisés comme litière pour les animaux font un excellent paillis.

Panais *(Pastinaca sativa)*

Le panais est un légume au goût particulier. Le panais est presque exempt d'insectes et de maladies. Avec son feuillage et ses racines, on peut fabriquer un vaporisateur efficace contre les insectes. Le panais supporte bien le gel. La germination des graines est lente et irrégulière.

Le panais cultivé est la même plante que l'on retrouve le long des routes et dans les lieux incultes. La racine, qui est douce et tendre chez la plante cultivée, est âcre et ligneuse chez la plante sauvage. Le panais sauvage est une mauvaise herbe difficile à éliminer et qui peut devenir envahissante.

Pastèque

Voir *Melon d'eau.*

Patate douce *(Ipomea batalas)*

La variété *Nemagold* développée à la station expérimentale d'Oklahoma résiste bien aux nématodes. Les patates douces ont généralement une grande valeur énergétique, qui n'est dépassée que par les pois et les haricots. Ils ont un ennemi en commun, une moisissure causée par un champignon, qui peut être contrôlée en choisissant des graines saines ou par la rotation des cultures.

Si des lapins ou des lièvres s'attaquent aux patates douces, y vaporiser une émulsion de poisson.

Pavot *(Papaver)*

Le pavot et le pied-d'alouette font bon ménage avec le blé d'hiver, mais ils détestent l'orge. Les champs de blé infestés de pavot donneront une piètre récolte et les grains seront petits.

On cultive les pavots pour leurs graines et leur huile, mais ils appauvrissent le sol, qui doit ensuite être regénéré. On peut tirer avantage de cette propriété pour étouffer les mauvaises herbes dont on ne peut se défaire autrement.

Les graines de pavot peuvent rester inactives dans le sol pendant plusieurs années, puis se mettre à croître avec une culture de céréales, plus particulièrement le blé d'hiver.

Pensée des champs *(Viola tricolor)*

La pensée des champs, aussi appelée violette tricolore, a déjà fait partie des plantes médicinales. Plusieurs variétés de violettes étaient enrobées de sucre et l'on pensait qu'elles calmaient et soignaient le cœur.

Le seigle favorise la germination de la pensée des champs et profite lui-même de la présence de quelques plants de pensées. Elles ont cependant un effet négatif sur le blé.

Perceurs

Des capucines plantées autour des arbres fruitiers éloigneront les insectes perceurs, tout comme le feront aussi l'ail et les autres membres de la famille des oignons.

Persil *(Petroselinum hortense)*

Du persil mêlé à des graines de carotte éloignera les mouches de la carotte par son odeur caractéristique. Il protégera les roses contre les scarabées du rosier. Planté avec des tomates ou des asperges, elles en seront toutes deux plus vigoureuses.

On laisse parfois entrer les poules dans les enclos de persil où il y a profusion de lieuses du céleri — les larves du papillon du céleri.

Certaines espèces de persil, comme le persil à grosse racine, sont cultivées pour leurs racines que l'on fait cuire et que l'on mange comme du panais.

Petit merisier *(Prunus pensylvanica)*

Le petit merisier (cerisier de Pennsylvanie ou arbre à petites merises) pousse de Terre-Neuve jusqu'aux Rocheuses, formant des fourrés qui reboisent les forêts. Il produit des baies qui font le délice des oiseaux ; le nectar de ses fleurs est très apprécié des abeilles. C'est donc un arbre utile, même si sa vie est courte. Les petits merisiers apparaissent souvent dans les zones dévastées par un incendie de forêt, les jeunes arbres protégeant les conifères ou les essences à bois durs.

On extrait de l'écorce, des racines et des fruits du cerisier d'automne ou cerisier tardif *(Prunus serotina)* une substance qui sert à la fabrication de toniques ; on tirera des liqueurs et des eaux-de-vie des lourdes grappes de fruits qui deviennent noirs en mûrissant et perdent leur âpreté. Le cerisier d'automne est un arbre décoratif qui fournit une belle ombre.

Le cerisier d'automne et le cerisier à grappes *(Prunus virginiana)* attirent les oiseaux. Malheureusement, la livrée d'Amérique aime bien y laisser ses œufs, ce qui rend l'arbre impopulaire auprès des fermiers. Les anneaux d'œufs qui entourent les plus petites branches sont faciles à voir et à enlever.

Pétunia *(Petunia)*

Ce membre de la famille des solanacées doit son nom au mot sud-américain « petun », qui signifie tabac. Le tabac est en effet de la même famille. Les pétunias protègent les haricots contre les chrysomèles.

Peuplier *(Salicaceae)*

Arbres à croissance rapide et à vie relativement courte, les peupliers servent souvent à regénérer les forêts. Après un incendie de forêt, c'est souvent le premier arbre à pousser sur la terre dénudée. Ses nombreuses graines, semblables à celles du saule, se répandent vite et loin. Le peuplier de Lombardie, qui ressemble à un point d'exclamation, est souvent utilisé comme écran pour protéger les autres arbres contre le vent.

Je lisais récemment dans une revue néo-zélandaise : « Il semble exister une symbiose entre les peupliers et le gazon, ce qui permet d'avoir plus de gazon et en meilleure santé. La perte d'humidité est aussi moins importante grâce à la vitesse réduite des vents. On peut profiter de l'émondage du milieu de l'été. »

pH

Les experts en jardinage croient que tout le monde sait ce qu'est le pH. Et en réalité, c'est assez simple. Le pH indique simplement le degré d'acidité ou d'alcalinité d'une matière. On l'utilise en horticulture pour indiquer la condition du sol, une information capitale lorsqu'on sait que plusieurs plantes ne se développent bien qu'à l'intérieur de certains taux de pH.

L'acidité du sol peut être de deux types : active et potentielle. Un sol acide est un sol où la concentration d'ions d'hydrogène (H^+) est supérieure à la concentration d'hydroxile (OH^-). Lorsque la concentration de H^+ et de OH^- sont égales, on dit que le sol est neutre. Lorsque la concentration de OH^- est supérieure à la concentration de H^+, le sol est alcalin.

L'acidité active représente l'excès d'ions H^+ par rapport aux ions OH^- contenus dans le sol. Elle s'exprime par une unité sur l'échelle de pH. Selon cette échelle, le chiffre 7 représente un sol neutre ; un nombre plus élevé indique un sol alcalin et un nombre plus petit, un sol acide. Il est rare de trouver un sol dont l'acidité dépasse 3,5 ou dont l'alcalinité est supérieure à 8,0. Il faut cependant souligner que la progression est *géométrique*. L'acidité au pH 5 est 10 fois plus grande qu'au pH 6 ; au pH 4, elle sera 100 fois plus grande.

Que peut-on peut faire si des analyses montrent un écart trop grand dans un sens ou dans l'autre ? Pour réduire l'acidité, on ajoutera de la chaux, préférablement celle vendue à des fins agricoles. À mon avis, tous les sols — particulièrement les sols alcalins — profiteront de l'usage de compost et d'humus faits à partir de matières organiques bien décomposées. Des engrais verts enfouis seront également bénéfiques.

Phléole des champs *(Phleum pratense)* — Mil

La phléole et d'autres petites graminées profitent de la proximité des légumineuses comme la luzerne et le trèfle d'odeur, qui les protègent contre les asticots blancs. Aussi appelée mil, la phléole des champs est une herbe vivace des climats froids, dont les minces tiges portent des épis ronds de petites fleurs serrées. Les fermiers canadiens et américains cultivent souvent la phléole en rotation avec l'avoine ou d'autres graminées. Elle n'est pas considérée comme un bon pâturage, à moins d'être mélangée à des espèces plus robustes.

Physalis heterophylla

Voir *Cerise de terre*

Phytolaque d'Amérique *(Phytolacca americana)*

Les phytolaques poussent bien sous les pins écossais et plusieurs autres arbres. Les baies et les racines sont toxiques, mais les petites pousses d'un vert rosé semblables à des asperges sont tout simplement délicieuses. C'est l'une des premières plantes à paraître au printemps et ses jeunes pousses doivent être cuites légèrement dans de l'eau qu'on changera plusieurs fois. Les baies et les racines contiennent du *phytolaccin*, une substance purgative et un narcotique léger qu'on utilise pour le traitement des rhumatismes.

Les Amérindiens utilisaient le jus des fruits comme teinture. Le nom de la plante, qui signifie « plante à laque » fait d'ailleurs allusion à la matière colorante contenue dans les baies.

Les racines et les baies des phytolaques sont toxiques, mais les jeunes pousses bouillies sont délicieuses.

Pied-d'alouette *(Delphinium consolida)*

Les alcaloïdes contenus dans cette plante — la delcosine et la delsoline— sont efficaces contre les aphidiens (pucerons) et les thrips. Les pieds-d'alouette vivaces sont nuisibles au bétail et peuvent même causer des empoisonnements. On estime cependant qu'ils améliorent la vigueur du blé d'hiver.

Piment du Chili *(Casicum frutescens, fasciculatum* et *longum)*

Les piments rouges forts comptent parmi les plantes les plus utiles et les plus savoureuses du potager.

Utilisez une solution de piment de cayenne et de savon moulus pour vaporiser les plantes infestées par les aphidiens (pucerons). Faites sécher le piment de cayenne et saupoudrez-en sur les plants de tomates infestés de chenilles.

Cependant, si vous voyez une longue chenille verte, la larve du sphynx, ne vaporisez pas trop vite. Vérifiez si des guêpes parasites ont construit des cocons blancs faciles à repérer autour des chenilles. Si c'est le cas, attendez ; elles feront le travail pour vous.

Du piment rouge moulu placé autour des aubergines et frotté sur leurs feuilles éloignera les insectes indésirables. Les gousses séchées et saupoudrées sur les soies du mais les protégeront contre les ratons laveurs.

Un autre produit à vaporiser peut être fait à partir de gousses de piment moulu, d'oignon et d'ail. Couvrir la purée d'eau, laisser reposer 24 heures et égoutter. Ajouter assez d'eau pour obtenir 4 litres de liquide. Vaporiser plusieurs fois par jour sur les rosiers, les azalées, les chrysanthèmes et les haricots pour réprimer les infestations. Ne jetez pas la bouillie qui reste au fond ; versez-la plutôt au pied des plantes infestées d'insectes.

Pin *(Pinus)*

Des branches de pin émondées sont idéales pour couvrir les pivoines en hiver. Retirez-les au printemps avant que les fleurs ne commencent à pousser.

Les aiguilles de pin font un bon paillis pour les azalées, les rhododendrons et les autres plantes qui aiment l'acidité. Elles augmentent aussi la vigueur et la saveur des fraises.

Les aiguilles de pin dégagent de la terpène, une substance qui nuit à la germination. Il n'est donc pas recommandé de placer les piles de compost près des pins.

Pissenlit *(Taraxacum officinale)*

Le pissenlit est considéré comme une mauvaise herbe dynamique, car il aime, tout comme le trèfle et la luzerne, les bons sols

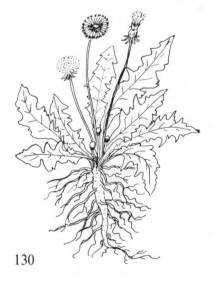

Les pissenlits ne font pas concurrence au gazon. Ils tirent des minéraux du sous-sol et leurs racines laissent des canaux qui sont utilisés par les vers de terre. Ils sont aussi bénéfiques à la croissance de la luzerne.

profonds. Les sols où poussent les pissenlits sont fréquentés par les vers de terre, pour qui cette plante est un producteur naturel d'humus. Il peut être fâcheux d'avoir des pissenlits sur sa pelouse, mais ils n'enlèvent rien au gazon, car leurs racines peuvent atteindre un mètre de profondeur. Ils tirent des minéraux — plus particulièrement du calcium — des couches profondes et contribuent ainsi à regénérer le sol. Lorsque les pissenlits meurent, les canaux laissés par leurs racines permettent aux vers de terre de pénétrer plus profondément dans le sol.

Les pissenlits dégagent un gaz, l'éthylène, qui limite la hauteur et la croissance des plantes voisines. Les fleurs et les fruits environnants atteindront leur maturité plus rapidement.

Plantain *(Plantago)*

Le plantain lancéolé *(P. lanceolata)* était autrefois utilisé comme remède contre les meurtrissures et les contusions. Il produit un effet rafraîchissant et astringent lorsqu'on presse quelques feuilles sur une piqûre d'abeille.

Le plantain et le trèfle rouge poussent parfois ensemble, car des graines de plantain sont souvent mélangées accidentellement aux semences de gazon ou de trèfle. Si le plantain apparaît sur votre terrain, arrachez-le complètement.

Le plantain aide le trèfle rouge, mais c'est une mauvaise herbe difficile à contrôler.

131

Plantes (bordure de)

Du ricin planté autour du jardin éloignera les taupes, tandis que des bordures de jonquilles, de narcisses, de scilles et de jacinthes en grappes autour des plates-bandes éloigneront les souris. En petite quantité, l'hysope, la citronnelle et la valériane sont bénéfiques à tous les légumes. L'achillée millefeuille convient bien aux bordures des allées et poussera bien même si l'on marche dessus. Plantée en bordure d'un jardin d'herbes, elle stimulera la production d'huiles essentielles par les herbes.

Plantes (éléments chimiques des)

On comprend mieux les interactions des plantes lorsqu'on connaît les divers éléments qui les composent.

Certains éléments chimiques sont présents dans tous les protoplasmes végétaux et animaux. Les plus abondants sont, dans l'ordre, l'oxygène, le carbone, l'hydrogène et l'azote. Ces éléments constituent généralement entre 95 % et 98 % des protoplasmes vivants.

D'autres éléments chimiques sont sans doute toujours présents en plus petite quantité (du moins dans les plantes vertes) : le soufre, le zinc, le bore, le manganèse, le phosphore, le calcium, le magnésium, le fer, le molybdène, le cuivre et le chlore. Chacun de ces éléments joue un rôle spécifique essentiel pour la survie des plantes vertes.

Des analyses chimiques indiquent souvent la présence d'autres éléments comme le nickel, l'or, l'étain ou le mercure et certaines mauvaises herbes ont la propriété de capter beaucoup d'or. Ces éléments ne semblent toutefois pas nécessaires à la physiologie des plantes et peuvent même être toxiques. On les trouve dans les plantes parce qu'ils sont présents dans le sol et qu'elles les absorbent.

On a utilisé parfois des plantes pour détecter la présence d'uranium ou de sélénium dans le sol. Une méthode consiste à utiliser des plantes indicatrices, qui sont reconnues pour leur tolérance à de très fortes quantités de certains minéraux. Une autre méthode consiste à faire l'analyse chimique des espèces végétales trouvées dans une région donnée. Dans plusieurs cas, la prospection botanique s'est révélée très utile.

Dans le monde végétal, les excrétions des plantes viennent des éléments chimiques et servent de protection contre les maladies. Le sol réagit aux activités des plantes qui en tirent les éléments essentiels à leur survie. Les plantes en santé peuvent excréter de plus fortes quantités de ces substances qui peuvent être antibiotiques ou fongicides. Dans une culture mixte, ces substances sont souvent bénéfiques aux autres plantes, alors que dans une monoculture, leur accumulation peut être très nuisible.

Plantes (huiles contenues dans les)

Selon l'Institut de technologie du gaz de Chicago, il serait possible de produire du gaz naturel synthétique en quantités industrielles à partir des plantes. L'expérience a été faite en laboratoire selon un procédé semblable à celui utilisé pour convertir le charbon en gaz.

Les plantes sont moins coûteuses à produire que le charbon et le gaz qu'on en tire est aussi bon que celui extrait du charbon. En outre, on peut utiliser n'importe quelle plante, même celles qui sont apparemment inutiles. Il n'est donc pas nécessaire d'utiliser des sols fertiles; on pourrait cultiver des cactus ou d'autres plantes à cette fin dans les déserts. Des algues pourraient être plantées dans les lacs trop pollués pour d'autres usages.

Si des recherches plus poussées démontrent qu'un tel projet est réalisable, les plantes nous apporterons une source d'énergie inépuisable en captant l'énergie solaire par photosynthèse.

Les huiles des plantes sont connues depuis longtemps et l'on en tire des olives et du lin depuis des siècles. Elles sont cependant différentes des huiles essentielles qu'on trouve dans les herbes.

Les huiles extraites des hélianthes, du soya, de l'arachide et de nombreux végétaux sont idéales pour la cuisson et meilleures pour la santé que les huiles animales.

Plantes (minéraux contenus dans les)

Plusieurs mauvaises herbes semblent avoir la capacité d'enrichir le sol. Le datura planté à proximité des citrouilles améliorera à la fois leur santé et leur vigueur. Les meilleurs melons d'eau viennent d'endroits où les mauvaises herbes abondent. Les oignons qui poussent parmi les mauvaises herbes (sans toutefois être envahis) connaîtront une meilleure croissance que ceux plantés en rang dans un jardin.

C'est encore plus vrai lorsque les mauvaises herbes ont des racines profondes qui brisent le sous-sol et permettent aux légumes de se nourrir à même une plus grande zone. Les mauvaises herbes à racines profondes tirent du sous-sol des minéraux que les autres plantes ne pourraient rejoindre autrement. La haute teneur en minéraux des mauvaises herbes en fait un élément utile aux piles de compost (voir *Compost*).

Plantes (origine des)

Certaines plantes cultivées n'ont jamais été trouvées à l'état sauvage et d'autres n'ont aucune ressemblance avec les espèces sauvages connues.

Ce phénomène est sans doute dû à la longue histoire de l'agriculture. Les espèces ont tellement changé avec le temps qu'elles n'ont plus aucune ressemblance avec les espèces sauvages originales ou, plus simplement, ces dernières se sont éteintes. L'absence d'ancêtres au maïs et à la canne à sucre nous laisse croire que ces deux cultures remontent loin dans l'Antiquité.

Les botanistes en sont venus à certaines conclusions se rapportant aux régions géographiques et aux époques qui ont été témoins des premières cultures.

Aucune espèce importante est commune à l'ancien et au nouveau monde. En outre, beaucoup plus de plantes viennent de l'ancien monde que du nouveau.

Les plantes de l'ancien monde ont été cultivées pendant au moins 4 000 ans et probablement plus longtemps. Elles comprennent les amandes, les pommes, les abricots, les bananes, l'orge, le chou, les dattes, les aubergines, les figues, le lin, la vigne, le chanvre, les mangues, le millet, les olives, les pêches, les poires, le riz, le sorgho, le soya, le melon d'eau et le blé.

Les cultures qui ont au moins 2 000 ans et peut-être plus comprennent la luzerne, les asperges, les betteraves, le fruit à pain, les carottes, le céleri, les cerisiers, les châtaigniers, les agrumes, le coton, la laitue, la muscade, l'avoine, les pois, le poivre noir, les pruniers, le pavot, les radis, le seigle, la canne à sucre, le thé et le noyer royal.

Les plantes cultivées qui ont moins de 2 000 ans sont l'artichaut, le sarrasin, le café, les groseilles à grappes, les groseilles à maquereau, les cantaloups, les gombos, le persil, le panais, les framboises, la rhubarbe et certaines espèces de fraises.

Les plantes du nouveau monde (d'origine inconnue mais qui datent d'au moins 2 000 ans et peut-être de plus de 4 000 ans) sont le cacao, le maïs, les haricots d'Espagne, le thé du Paraguay, la patate douce et le tabac.

Les plantes d'origine plus récente, dont certaines datent du début de l'ère chrétienne, comprennent l'avocat, le manioc, certaines variétés de coton, les arachides, les ananas, les pommes de terre, les citrouilles, les poivrons rouges, l'hévéa, les courges, les tomates et la vanille.

Plantes (suicide chez les)

Pourquoi la plupart des plantes annuelles meurent-elles à l'automne ? Larry D. Nooden et Suzan L. Schreyer, de l'Université du Michigan, étudient un signal chimique de mort, peut-être une hormone qui se trouve dans les graines de la plante. On pense que les graines contenues dans les fruits mûrs, comme les gousses des fèves de soya, sécrètent une hormone qui fait jaunir et flétrir la plante avant même que les nuits soient assez froides pour les faire mourir.

Les jardiniers savent depuis longtemps que, si l'on arrache les fleurs fanées avant qu'elles ne forment des graines, la plante continuera à produire des fleurs. Les pensées en sont un bon exemple. Parmi les légumes, le gombo produira du printemps jusqu'aux gelées si l'on retire ses cosses avant qu'elles ne durcissent.

Nooden a fait l'expérience avec des fèves de soya. Les gousses ont été enlevées sur un côté de la plante et laissées sur l'autre côté. Du côté où les gousses avaient été laissées, la plante a jauni et s'est flétrie ; de l'autre côté, elle est restée en santé.

Poinsettie

Voir *Euphorbe.*

Poireau *(Allium porrum)*

Le poireau est un « gourmand » qui exige un sol engraissé avec un engrais bien décomposé. Les poireaux sont généralement vendus dans les épiceries avec leurs racines. J'ai planté quelques poireaux achetés au magasin et ils ont bien survécu. Ils se sont répandus et je récolte maintenant mes propres poireaux.

Les poireaux font bon ménage avec le céleri et les oignons. Ils sont aussi bénéfiques aux carottes, dont ils améliorent la saveur tout en éloignant la mouche de la carotte.

Poirier *(Pyrus)*

Certains croient que les poiriers sont inhibés par les excrétions du gazon, mais un producteur de Californie est convaincu du contraire. Ses poiriers se portent très bien et il laisse plusieurs variétés de gazon et d'herbes pousser dans son verger.

Ce producteur utilise un vaporisateur à base de *deryania* pour éliminer les carpocapses de la pomme et les enrouleurs des feuilles. Comme fertilisant, il utilise de l'engrais de poulet pour l'azote, des graines de coton, du compost, du sang séché et d'autres engrais d'animaux (voir aussi le chapitre « Pollinisation des fruits et des noix »).

Évidemment, la culture du poirier est assez peu répandue au Québec à cause de la rigueur de notre climat. Il y a cependant des régions où ils croissent bien ; les régions du sud-ouest de la province sont privilégiées, mais on en retrouve aussi à l'Île d'Orléans.

Pois *(Pisum sativa)*

Pour une culture à grande échelle, inoculez les pois et les haricots avec du Nitragen (ou un composé similaire), qui est un agent bactérien naturel. Il enrobe la graine et en stimule la germination. Cela permet à la plante de développer plus rapidement les nodules de ses racines, qui ont pour fonction de fixer l'azote de l'air et de le transformer en un composé assimilable.

Les pois poussent bien avec les carottes, les navets, les radis, les concombres, le maïs, les haricots et les pommes de terre, de même qu'avec plusieurs herbes aromatiques. Ils détestent cependant la compagnie des oignons, de l'ail et des glaïeuls.

On doit toujours enfouir les plants de pois ou les ajouter à la pile de compost. Des cendres de bois saupoudrées à la base des plants de pois éloigneront les aphidiens (pucerons), tandis que le *myristicin*, un composé synthétique tiré du panais, détruira le puceron des pois.

Pois chinois *(Glycine soya)*

Les pois chinois ou fèves de soya sont si riches en protéines qu'on les appelle « la viande sans os ». Comme toutes les légumineuses, ils enrichissent les sols pauvres et constituent une excellente culture pour en précéder une autre qui aura besoin d'azote.

Les pois chinois plantés près du maïs le protégeront contre les pucerons des céréales et les scarabées asiatiques. Les pois chinois poussent bien avec les haricots et leur croissance rapide étouffera les mauvaises herbes.

Les pois chinois sont peut-être la plus vieille culture alimentaire du monde. Pendant des siècles, ils ont été synonymes de viande, de lait, de fromage, de pain et d'huile pour les peuples orientaux.

Comme toutes les légumineuses, les fèves de soya enrichissent le sol. Leur croissance rapide étouffe les mauvaises herbes.

Pois sauvage

Voir *Lupin.*

Poivron doux *(Capsicum frutescens,* var. *grossum)*

Les poivrons doux ont les mêmes besoins que le basilic et on peut les planter ensemble. Ils poussent également bien avec les gombos, qui les protégeront du vent.

Pollinisation

Voir le chapitre « Pollinisation des fruits et des noix ».

Pommes de terre *(Solanum tuberosum)*

Les pommes de terre font bon ménage avec les haricots, le maïs, le chou, le raifort (planté aux coins de l'enclos de pommes de terre), les œillets d'Inde et les aubergines (qui sont un leurre pour le doryphore de la pomme de terre).

Les pommes de terre ne poussent pas bien près des citrouilles, des tomates, des framboisiers, des courges, des concombres et des hélianthes. La proximité de ces plantes semble réduire la résistance des pommes de terre aux brunissures *(phytophthora infestans)*.

Les haricots et les pommes de terre se rendent mutuellement service, puisque les pommes de terre seront protégées des doryphores et que les haricots le seront des coccinelles mexicaines.

Le raifort ou le lin plantés en rangs entre les pommes de terre protègent ces dernières contre les doryphores. Le lin favorisera en outre la croissance des pommes de terre et augmentera leur saveur.

La morelle, plante de la famille des solanacées, attire les doryphores qui mangent ses graines et en meurent. La morelle est un membre de la même famille que la pomme de terre, mais ses feuilles, ses fleurs blanches et ses baies noires sont toxiques.

Les pommes de terre pousseront bien après une culture de seigle. Les choux poussent bien lorsqu'ils sont plantés en alternance avec les pommes de terre. La présence du chénopode dans un enclos de pommes de terre indique qu'elles doivent être déplacées.

Les doryphores de la pomme de terre sont plus attirés par les aubergines que par les pommes de terre. Une bordure d'aubergines peut servir de culture piège afin d'attraper ces insectes et de les détruire.

On ne doit pas planter les pommes de terre près des tomates ou des pommiers car elles seraient alors plus vulnérables au phytophthora.

Exposées à la lumière, les pommes de terre prennent une couleur verte et développent de la *solanine*, une substance toxique. On doit enlever toutes les parties vertes avant de manger une pomme de terre. Les pommes qui mûrissent ne devraient pas être entreposées au même endroit que les pommes de terre, car ces fruits dégagent un peu de gaz éthylène qui rendra les pommes de terre fades et difficiles à conserver. Les pommes perdent aussi de leur saveur en présence des pommes de terre.

Pomme épineuse

Voir *Datura*.

Potassium

Certaines plantes indiquent un sol riche en potassium. Ce sont les guimauves officinales, les centaurées, les absinthes, les soudes roulantes, les pensées et les hélianthes. Le trèfle rouge indique pour sa part une déficience en potassium. Une telle déficience peut être corrigée en augmentant l'acidité du sol.

Le tabac accumule du potassium dans ses feuilles et dans ses tiges. C'est donc une bonne plante à mettre sur une pile de compost si elle n'a pas été vaporisée de produits chimiques. Les légumes qui aiment le potassium sont le céleri-rave et le poireau.

Potentille *(Potentilla monspeliensis)*

Les potentilles sont un mauvais signe dans les pâturages, car elles indiquent un sol trop acide. Elles étoufferont graduellement les autres herbes et trèfles. Elles sont très résistantes et survivent alors que les autres herbes sont brûlées par la sécheresse. On a observé que le noyer cendré et le noyer noir ralentissaient la croissance de la potentille rampante.

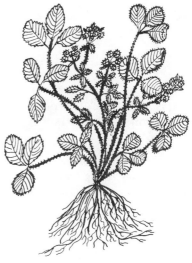

Il est mauvais signe de trouver des potentilles sur son terrain. Cependant, les noyers cendrés et les noyers noirs ralentissent leur croissance.

Potiron *(Cucurbita pepo)*

Les potirons ou citrouilles poussent bien en présence de la datura (voir le chapitre « Plantes toxiques »). Les potirons font bon ménage avec le maïs, mais les pommes de terre et les potirons se nuisent mutuellement.

Au Moyen-Orient, on considère que les graines de potiron sont une inépuisable source de bienfaits. Même si on ne croit plus aux potions pour amants fatigués, il est vrai que les graines de potirons sont très riches en vitamines.

Certaines variétés ont des graines sans enveloppe. Ces graines nues sont dues à un caractère génétique. Ces variétés sont denses et exigent peu d'espace dans le jardin. Les graines sont cueillies, lavées et séchées avant d'être rôties et légèrement salées.

Pouliot

Voir *Hedéoma faux-pouliot.*

Pourpier *(Portulaca oleracea)*

Le pourpier aime les sols fertiles et on le trouve souvent dans les jardins. Même s'il est considéré comme une mauvaise herbe, c'est une plante utile qu'on cultive en Angleterre et en Hollande. Ses feuilles ont une saveur légèrement acide et peuvent être cuites comme des épinards. Cent grammes de pourpier contiennent 3,5 mg de fer, plus que dans toute autre plante à l'exception du persil. C'est d'autant plus remarquable que le pourpier contient 92,5 % d'eau.

Prêle *(Equisetum)*

La prêle ou queue de renard est le dernier descendant des arbres majestueux du Carbonifère et l'espèce la plus commune, la prêle des champs, pousse dans les endroits les plus divers.

C'est une herbe médicinale dont on n'a pas approfondi tous les usages. Elle contrôle le mildiou sur les roses, les légumes, les vignes et les fruits à noyaux (voir *Mildiou*). On a aussi découvert que les solutions de prêle avaient un effet tonifiant sur les cellules des plantes.

Les parties utilisées sont les feuilles séchées et les tiges des plantes stériles.

Faire bouillir 2 à 3 cuillerées à café d'herbes écrasées dans une tasse d'eau pendant 20 minutes ou faire tremper les feuilles dans l'eau pendant plusieurs heures ; les faire bouillir 10 minutes et les laisser infuser un autre 10 minutes.

La prêle des champs ressemble à un petit sapin. Ses tiges creuses comptent plusieurs joints et atteignent de 30 cm à un mètre de hauteur. La plante ne donne pas de fleurs ou de graines, mais des cônes contenant des spores. Les spores sont transportées par le vent et donnent naissance à de nouvelles pousses vertes appelées gamétophytes. Les tiges vertes de la prêle contiennent un fort pourcentage de silice, un élément qui contrôle les maladies causées par les champignons. Lorsqu'on brûle les tiges doucement, le résidu de silice montre la structure originale des petites tiges.

La prêle peut arrêter les hémorragies externes et les tisanes à base de prêle permettent de traiter les abcès, les brûlures, les coupures et les éraflures autant chez les humains que chez les animaux. Mettre une poignée de feuilles et de tiges séchées dans une casserole et ajouter juste assez de vinaigre pour couvrir.

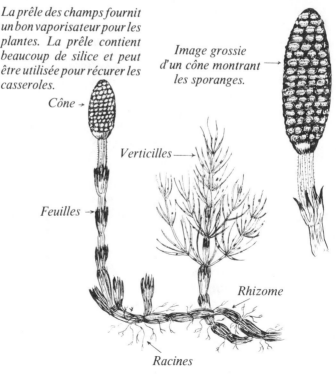

La prêle des champs fournit un bon vaporisateur pour les plantes. La prêle contient beaucoup de silice et peut être utilisée pour récurer les casseroles.

Image grossie d'un cône montrant les sporanges. →

Cône →

Verticilles ——→

Feuilles →

Rhizome

Racines

Laisser mijoter pendant 20 minutes au maximum, refroidir et égoutter. Conserver au réfrigérateur. Avant usage, mélanger une part d'infusion avec deux parts de lait de vache ou de chèvre. L'infusion de prêle n'est pas irritante ; elle est douce et agréable. Une bouteille en plastique comprimable en facilitera l'application.

Nelson Coon rapporte que la prêle contient des éléments inconnus qui sont toxiques pour les animaux et qu'il faut être prudent lorsqu'on l'utilise comme remède.

Les prêles ont encore un autre usage. Leur forte teneur en silice en fait des brosses récurantes idéales pour nettoyer les casseroles en camping.

Puceron noir *(Aphididea)*

Cet insecte est particulièrement nuisible aux haricots et il est recommandé d'utiliser un extrait d'ortie fermenté pour le contrôler. Son ennemi naturel, la coccinelle, aidera aussi à s'en défaire. Pour contrer le puceron noir, alterner les plants de haricots avec de l'ail ou placer quelques plants de capucines ou de menthe verte entre les rangs.

Pyrèthre *(Chrysanthemum cinerariaefolium)*

Les pyrèthres sont absolument exempts d'insectes et ils les éloignent des plantes voisines. On trouve peu d'insectes là où le pyrèthre ou la sauge sont utilisés comme couvre-sol. La poudre de pyrèthre, un insecticide sans danger, est faite à partir des fleurs séchées. Ses effets secondaires sont mineurs et disparaissent vite au soleil. On peut même le vaporiser avant la récolte.

Le pyrèthre était utilisé il y a près de 2 000 ans en Chine. Il est redevenu populaire au 19e siècle en tant qu'ingrédient secret de l'insecticide persan. En 1828, un commerçant arménien a introduit la poudre sur les marchés européens. En 1860, elle était déjà bien connue en Amérique du Nord. Les principes actifs de la pyrèthre sont les *esters*, le *pyrethrin* et le *cinerin*.

Certaines substances végétales non toxiques, comme l'*asarinin* (tiré de l'écorce d'un frêne), le *sesamin* (tiré de l'huile de sésame) et la *piperine* (du poivre noir) sont ajoutées au pyrèthre pour augmenter ses effets.

R

Racines

Pourquoi les racines poussent-elles vers le bas? Des chercheurs danois croient que la gibbérelline (hormone qui permet aux plantes de croître) joue un rôle dans la croissance des racines vers le bas.

Avec un plant de haricot, ils ont observé que la croissance horizontale des racines entraînait l'accumulation de gibbérelline dans la partie supérieure de chaque racine. Ces cellules étaient alors stimulées à s'allonger plus rapidement que celles du bas, ce qui incurvait les racines vers le bas. Les racines plongeant à la verticale, l'effet de la gibbérelline disparaissait graduellement et les cellules des deux côtés continuaient à croître au même rythme.

Les racines de plusieurs plantes, surtout celles des herbes et du gazon, atteignent des profondeurs étonnantes. Elles tirent du sol les éléments nutritifs qui manquent à la surface et permettent ainsi aux autres plantes de se nourrir. La longueur totale des racines d'un seul plant de seigle peut atteindre plus de 8 000 kilomètres.

Toutes les racines ne plongent pas dans le sol. Certaines sont aériennes, comme celles que l'herbe à puce développe parfois. D'autres sont aquatiques, comme celles des jacinthes ou des lentilles d'eau.

Racines (maladies des)

Des pointes d'asperges broyées et trempées dans de l'eau offriront une protection aux légumes contre les nodosités des racines, les racines tronquées et les nématodes qui s'attaquent aux racines *(Pratylenchus pratentis)*. Les œillets d'Inde sont aussi efficaces contre les nématodes.

Racines (substances qui se dégagent des)

Les racines de plusieurs cultures ou pâturages sont réputées exsuder plusieurs substances comme des acides aminés, des vitamines, du sucre, des tanins, des alcaloïdes, des phosphates et plusieurs autres substances non identifiées. Ces substances aident ou nuisent à la croissance des plantes voisines. Des expériences faites avec de jeunes plants de pin blanc, par exemple, ont permis

143

d'identifier plus de 35 composés différents qui étaient exsudés par les racines, dont des métabolites.

Racines (vers dans les)

Les insectes qui s'attaquent aux racines, dont les asticots et les vers fil de fer, peuvent être contrôlés avec un paillis de feuilles de chêne.

Radis *(Raphanus sativus)*

Les radis profitent de la proximité du cycloloma, dont les racines ameublissent la terre, et sont protégés par les huiles qui se dégagent des capucines et des moutardes. N'alternez pas les radis avec des choux, des choux-fleurs, des choux de Bruxelles, des choux-raves, des brocolis ou des navets, car ils sont tous membres de la même famille.

Les radis hâtifs peuvent être semés avec les betteraves, les épinards, les carottes et les navets pour indiquer l'emplacement des rangs. Plantés avec des concombres, des courges ou des melons, ils éloigneront la chrysomèle du concombre ; en compagnie des tomates, ils feront fuir les tétranyques à deux points. Les radis poussent bien avec le chou-rave, les haricots et les haricots grimpants. La proximité de feuilles de laitue en été attendrira les radis. La poussière de tabac les protège contre les altises et le jus d'ail leur évitera plusieurs maladies. Les radis et l'hysope ne devraient jamais être plantés à proximité l'un de l'autre.

Radis sauvage *(Raphanus Raphanistrum)*

Les radis sauvages s'étendent rapidement dans les sols épuisés par des cultures de graminées et pauvres en azote. Ils prolifèrent par temps humide, lorsque l'engrais est rare et que le potassium abonde. Les vaches aiment brouter les radis sauvages, qui produisent en outre du bon miel ainsi qu'une huile qu'on tire des graines.

Cette plante, plutôt rare au Québec, est par contre abondante dans les Provinces maritimes.

Raifort *(Ammoracia rusticana)*

Le raifort et les pommes de terre ont une relation symbiotique qui améliore la croissance des pommes de terre et les rend plus résistantes aux maladies. Le raifort devrait être planté aux coins du carré de pommes de terre et être arraché à la fin de chaque saison pour éviter qu'il se propage. Le raifort ne semble pas protéger les pommes de terre contre les doryphores.

Raton laveur *(Procyon lotor)*

Depuis des siècles, les fermiers plantent des potirons avec le maïs pour éloigner les ratons laveurs. Semez les graines de potiron environ un mètre en retrait ; lorsque le maïs sera presque à maturité, les larges feuilles de potiron pousseront autour de ses tiges. On croit que les ratons laveurs évitent ces champs parce qu'ils aiment se tenir debout et regarder autour lorsqu'ils mangent, ce que les larges feuilles de potiron les empêchent de faire.

On peut éloigner les ratons laveurs trop friands du maïs en plantant celui-ci avec des potirons ou même des courges. Du poivre noir ou rouge saupoudré sur les soies du maïs les tiendra éloignés.

On peut aussi éloigner les ratons laveurs en saupoudrant les soies du maïs avec du poivre noir ou rouge, qui n'affecte en rien la saveur des épis. Pour un petit jardin, une clôture en broche électrifiée suffira. Avec une batterie de 6 volts ou 12 volts, la clôture sera sans danger. Il suffira de mettre le courant la nuit, puisque les ratons laveurs dorment pendant le jour. Une autre solution consiste à placer un radio à transistors (dans un sac en plastique pour le protéger des intempéries) dans le jardin et à le faire jouer pendant la nuit.

Renonculacées *(Ranunculaceae)*

Le bouton d'or est un membre de la famille des renonculacées. Ses racines sécrètent une substance qui nuit aux trèfles en empêchant le développement de la bactérie qui fixe l'azote. Cette substance est si puissante qu'elle pourrait faire disparaître le trèfle complètement si le bouton d'or envahissait un champ. Le bétail ne mangera pas de cette plante acide et caustique et l'on devrait prévenir les enfants que ses tiges et ses feuilles peuvent causer des ampoules.

L'aconit est encore plus dangereuse, car toutes ses parties sont toxiques. Les autres membres de cette famille qui comprend les pieds-d'alouette ou delphinium, les nigelles et les ancolies sont tous plus ou moins toxiques. Ces plantes sont très jolies, mais il faut les cultiver avec prudence.

Renouée *(Polygonum)*

Ces membres de la famille du blé noir (sarrasin) poussent surtout dans les sols acides. La renouée est souvent cultivée en bordure des jardins ou le long des allées, car elle supporte d'être piétinée. Toutes les renouées se caractérisent par des nœuds d'où émergent les tiges.

On croit que les pâturages de renouée causent des problèmes aux moutons. Ces plantes nuisent aussi à la croissance des navets et sont très riches en silice.

Rhizobium

Ce sont ces bactéries qui forment des nodosités sur les racines des légumineuses et leur permettent de transformer l'azote de l'air en protéines assimilables. Malheureusement, elles refusent leur aide à des plantes utiles comme le maïs et le blé.

Des chercheurs ont étudié une protéine des plantes appelée *lectin*. Cette protéine, qui fixe la saccarine à la surface des cellules, a été collée à des graines de soya au moyen d'une teinture phosphorescente. Plusieurs espèces de rhizobium ont été teintes avec ce mélange pour permettre d'observer le mariage de la *lectin* avec les cellules. On espère pouvoir développer avec le temps diverses relations symbiotiques entre plusieurs espèces de plantes.

Rhododendron

Voir *Azalée.*

Rhubarbe *(Rheum rhaponticum)*

Cette plante décorative et très utile protège l'ancolie contre les tétranyques rouges.

Les feuilles de rhubarbe, qui contiennent de l'acide oxalique, peuvent être bouillies dans de l'eau qu'on vaporisera dans les trous avant d'y semer des choux, des giroflées des murailles ou d'autres graines. Cela éloignera les insectes mangeurs de racines.

La rhubarbe est un légume, mais on l'emploie surtout dans la préparation des desserts. Elle est également reconnue comme

On fait de délicieuses tartes avec la rhubarbe, mais les feuilles de cette plante sont très toxiques et peuvent parfois causer des irritations de la peau. Elles sont cependant utiles sur les piles de compost.

laxatif. C'est l'une des plus anciennes plantes potagères et Marco Polo l'a observée en Chine il y a plusieurs siècles.

Rhubarbe des pauvres

Voir *Euphorbe cyprès.*

Ricin *(Ricinus communis)*

Des expériences ont démontré que le ricin planté autour du jardin éloigne les taupes et les moustiques.

Le ricin est cultivé à grande échelle pour l'huile qu'on tire de ses graines. Il faut cependant noter que toutes les parties de la plante sont toxiques pour le bétail et les humains, plus particulièrement les graines. Deux ou trois graines mangées par un enfant, et aussi peu que six graines par un adulte, peuvent entraîner la mort. Les fruits contiennent une substance allergène qui peut entraîner de graves réactions chez ceux qui manipulent les résidus de ricin. Ce risque peut être évité en coupant les têtes des grains et en les détruisant avant qu'ils atteignent leur maturité.

Pour que les plants de ricin éloignent efficacement les taupes, plantez-les tous les deux mètres autour du jardin. On peut aussi l'utiliser comme compagnon à d'autres cultures. Plusieurs plants de haricots de Lima pourront grimper aux plants de ricin qui sont plus hauts. La variété la plus grosse de ricin, la *Zansibarensis*, qui peut atteindre 2,5 mètres de hauteur, possède de larges feuilles et des graines multicolores. La variété *Sanguineus* atteindra 2 mètres et la *Bronze King*, 1,5 mètre.

Toutes les parties du ricin sont toxiques, particulièrement les graines, mais ces plantes éloignent les taupes et les insectes du jardin.

Riz sauvage *(Zizania aquatica* et *Z. palustris)*

Cette herbe aquatique n'est pas vraiment du riz. La zizanie aquatique atteint 2 à 3 mètres de hauteur et on la retrouve dans les marécages. Dans le Québec, on la rencontre principalement sur la rivière Richelieu et ses affluents. La zizanie des marais pour sa part est plus petite (50 cm à 2 mètres). Elle croît tout le long du Saint-Laurent jusqu'aux environs de Lislet, c'est-à-dire jusqu'à l'eau salée. Les deux espèces, quoique distinctes, sont souvent confondues ; elles ont aussi la même importance économique. Le riz sauvage est récolté par les Amérindiens qui replient les têtes du plant par dessus les bords de leur embarcation et battent les grains avec des bâtons.

Le riz sauvage peut être cultivé. Il poussera mieux dans des eaux calmes et pures de 30 cm à 2 mètres de profondeur, le long des rives des ruisseaux, des étangs, des lacs ou dans les terres basses. Le riz sauvage aime un peu de courant et ne poussera pas bien dans des eaux stagnantes. Un étang peu profond alimenté par un ruisseau permettra la culture de cette plante riche en vitamine B.

N'essayez pas de planter le produit qu'on trouve dans les épiceries, car seules les graines non écossées peuvent germer. Le riz doit être bien humide lorsqu'on le sème. Il peut être semé à la volée au-dessus de l'eau, à raison d'un boisseau par acre. Les bonnes graines couleront rapidement. Si l'espace est restreint, semez une poignée de riz pour un carré de 2 mètres de côté. Le meilleur moment pour semer le riz sauvage est à l'automne, juste avant que les glaces ne se forment.

Robinier *(Robinia)*

Ses fleurs ressemblent à celles du pois de senteur et ses cosses rappellent qu'il s'agit d'un membre de la famille des légumineuses.

Le robinier faux-acacia *(R. Pseudo-Acacia)* a des fleurs blanches en forme de papillon, dont le nectar attire les abeilles et plusieurs autres insectes.

Le robinier est une bonne plante de bordure, mais ses feuilles, ses racines et son écorce sont toxiques. Cependant, les cosses du févier à trois épines *(Gleditsia triacanthos)* contiennent une pulpe sucrée qui régalera le bétail et les jeunes garçons qui oseront braver les épines pour les cueillir.

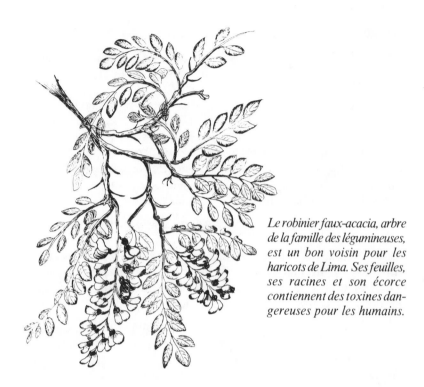

Le robinier faux-acacia, arbre de la famille des légumineuses, est un bon voisin pour les haricots de Lima. Ses feuilles, ses racines et son écorce contiennent des toxines dangereuses pour les humains.

Ronce à fruits noirs *(Rubus allegheniensis)*

L'aronia et le sureau peuvent être utilisés pour éloigner les oiseaux des ronces à fruits noirs. La ronce à fruits noirs est une plante qui prépare le sol pour la croissance des arbres (voir le chapitre « Pollinisation des fruits et des noix »).

Rosier *(Rosa)*

Tous les membres de la famille des oignons sont bénéfiques aux rosiers et les protègent contre les taches noires, le mildiou et les aphidiens (pucerons). Pour combattre les taches noires, voir *Tomate*.

L'ail et les oignons sont particulièrement bénéfiques aux rosiers. En Bulgarie, où l'essence de rose est utilisée dans la fabrication des parfums, il est pratique courante d'alterner les oignons et les rosiers pour augmenter la quantité et la qualité des essences.

Les rosiers profitent aussi de la présence du persil, qui éloigne les chrysomèles du rosier. Les oignons font fuir le scarabée du rosier, tandis que le réséda odorant et le lupin enrichissent le sol en azote et attirent les vers de terre. Les œillets d'Inde sont utiles pour éloigner les nématodes, tandis que les géraniums combattront le scarabée japonais.

Un tapis de plantes basses de la famille du pourpier gardera l'humidité du sol sous les bosquets de roses. Vaporiser sur les rosiers une infusion de feuilles de sureau pour contrôler les dommages causés par les chenilles et la flétrissure.

Ne jamais planter les rosiers avec d'autres plantes à racines ligneuses, qui leur feront concurrence pour se nourrir.

Rosier rugueux *(Rosa rugosa)*

Ce rosier, qu'on appelle aussi églantier, est si connu qu'il mérite d'être traité séparément. Plantés en bosquets, ils forment un magnifique écran contre le vent et les animaux. Ce rosier fleurit à profusion et ses baies (cynorhodons) sont plus riches en vitamine C que des oranges. Les cynorhodons, aussi appelés gratte-culs, servent à la préparation d'infusions, de confitures, de soupes et d'autres mets.

L'églantier, souvent planté en haie, produit des cynorhodons riches en éléments nutritifs. Il pousse bien avec le pourpier, le persil et le réséda odorant ; il sera protégé des chrysomèles du rosier par la proximité de membres de la famille des oignons. Tenir éloigné du buis.

Rosier sauvage *(Rosa)*

Lorsque cette jolie plante apparaît dans les pâturages, c'est qu'ils n'ont pas été broutés adéquatement et qu'ils ont besoin d'être fauchés ou hersés. Les tiges piquantes causent des problèmes aux moutons et au bétail, mais n'importunent pas les chèvres, qui adorent les buissons de roses. Pour s'en débarrasser, couper les tiges alors qu'elles sont encore molles.

Rue *(Ruta graveolens)*

On sait que la rue n'aime pas le basilic. Cependant, l'auteur latin Pline écrivait que « la rue et le figuier s'entendent à merveille ».

La rue plantée près des rosiers ou des framboisiers éloignera le scarabée japonais. Elle peut être taillée et devenir une haie magnifique, mais il ne faut pas être allergique car son feuillage peut causer une dermatite (tout comme l'herbe à puce) au moment de la floraison. L'intensité de l'irritation semble s'aggraver au soleil. Si vous transpirez et que vous manipulez de la rue, vous risquez d'être atteint. Si cela se produit, lavez-vous avec du savon brun.

La rue peut pousser aussi bien avec les légumes qu'avec les fleurs. Elle protégera plusieurs arbres ou arbustes. Elle est idéale près des piles d'engrais et autour des étables, car elle éloigne la mouche domestique et la mouche piquante des étables.

Un auteur de l'Antiquité affirmait que « la rue fait fuir les puces ». On ne peut cependant l'utiliser que pour les litières ou coussins des chiens, car les chats ne l'aiment pas. Tout ce qui est frotté avec une feuille de rue gardera les chats à l'écart — c'est bon à savoir lorsqu'on veut protéger ses meubles.

Rumex crépu *(Rumex crispus)*

Le rumex crépu sert en pharmacie et comme aliment. Autrefois, il avait la réputation de purifier et d'éclaircir le sang au printemps. Rien ne prouve cette croyance, mais sa forte teneur en vitamine C était sans doute bienvenue après un régime d'hiver. Les feuilles du rumex sont également plus riches en vitamine A que les carottes.

Le rumex est excellent pour calmer l'irritation causée par l'ortie brûlante. Broyez ses feuilles juteuses et appliquez sur la région irritée.

Rutabaga

Voir *Navet*.

S

Salsifis *(Tragopogon porrifolius)*

Pour avoir cette saveur différente et délicate, les salsifis ont besoin d'un sol humide et frais pendant les quatre mois qui précèdent leur récolte.

Le salsifis pousse bien avec la moutarde ou le melon d'eau. Plantez les melons d'eau, qui exigent de la chaleur, plusieurs semaines après les salsifis, qui cherchent une température fraîche. Laissez les melons combler le milieu des rangs avant que la chaleur arrive. Les tiges de melon agiront comme un paillis vivant tout en laissant les salsifis prendre de l'air et de la lumière.

N'utilisez jamais de graines de salsifis qui ont plus d'un an.

Santoline *(Chamaecyparis)*

Cette plante du sud de l'Europe est excellente pour éloigner les lépidoptères. Son nom vient du latin *sanctum linum*, qui signifie « lin sanctifié ». La plante se portera mieux si on la taille aussitôt que les fleurs tombent.

Saponine

Les saponaires ont des fruits qui contiennent une substance savonneuse appelée saponine. Des plantes comme les roses trémières, les œillets, les labiées, les tomates, les molènes, les pommes de terre et les pensées ont cette propriété. Ces plantes sont importantes parce qu'elles créent, en se décomposant, un climat favorable à la croissance des plantes qui leur succéderont.

Commercialement, la saponine est employée comme agent moussant dans les boissons et dans les extincteurs chimiques. On en fait aussi un détergent pour les tissus délicats.

Sarriette des jardins *(Satureja hortensis)*

En Allemagne, on l'appelle « herbe aux haricots » parce qu'elle pousse bien avec les haricots. La sarriette et les oignons ont une influence mutuelle bénéfique.

Sarrasin

Voir *Blé noir.*

Sassafras *(Sassafras albidum)*

Des pièges enduits d'huile de sassafras contrôleront les carpocapses de la pomme. Voici comment faire. Remplir un petit contenant aux deux tiers avec du bran de scie additionné d'une cuillerée à café d'huile de sassafras et d'une cuillerée à soupe de vinaigre. Ajouter assez de colle pour saturer le mélange. Après un jour ou deux, lorsque le mélange est sec, le suspendre dans un pot en verre partiellement rempli d'eau. Ce piège fonctionne très bien dans les arbres fruitiers.

On peut se procurer des feuilles séchées de sassafras dans les épiceries. Et, pourquoi ne pas en tenter la culture à l'intérieur, sur le rebord d'une fenêtre ensoleillée ?

Sauge *(Salvia officinalis)*

La sauge protège les choux et les membres de leur famille contre le papillon blanc du chou tout en les rendant plus savoureux.

La sauge pousse également bien avec les carottes, les protégeant contre la mouche de la carotte. La sauge et le romarin se rendront mutuellement service. Ne plantez pas la sauge avec les concombres, qui n'aiment pas les herbes aromatiques en général et la sauge en particulier.

Originalement, la sauge était utilisée comme remède dans les farces et les viandes pour favoriser la digestion. Nous avons pris goût à cette saveur et oublié qu'il s'agissait d'un médicament.

Pour faire une infusion de sauge, verser un litre d'eau bouillante sur 15 g de feuilles de sauge fraîches, 30 g de sucre, le jus d'un demi-citron et une cuillerée à café de zeste de citron râpé. Laisser infuser pendant 1/2 heure et passer avant de boire. Cette infusion est excellente pour les humains et les plantes. Les plantes doivent cependant la consommer froide.

Saule *(Salix)*

Les racines dures et fibreuses du saule sont utiles pour retenir le sol des talus et limiter l'érosion. La nature semble les avoir conçus spécialement à cet usage, car la moindre branche touchant

154

le sol prendra racine si la terre est assez humide. Le vent brise souvent des branches de saule que les rivières emportent et déposent sur les rives où elles s'enracineront.

Pendant des milliers d'années, les sucs et résines tirés de l'écorce et des feuilles de saule ont permis de soulager les rhumatismes, les névralgies ou la fièvre. En 1820, la salicine, principe actif de l'écorce de saule, a été identifiée et on créa en 1899 un dérivé synthétique qui donna naissance à l'aspirine.

Sauterelle *(Tettigoniifae* et *Locustidae)*

Les sauterelles sont difficiles à contrôler, surtout lorsqu'elles viennent des champs avoisinants, mais ce vaporisateur peut aider. Moudre ensemble 2 à 4 piments forts, un poivron vert et un petit oignon. Ajouter un litre d'eau. Laisser reposer 24 heures et passer. Ce mélange est également efficace contre les aphidiens (pucerons).

Pendant la période d'infestation des sauterelles, le labourage après récolte empêchera les sauterelles de pondre leurs œufs tandis que le labourage de printemps, avant les semences, empêchera les sauterelles d'émerger des œufs toujours présents. Des extraits de *sapindus saponaria* sont efficaces contre les sauterelles, alors que la poussière ou l'extrait de *Sabidilla* est aussi efficace contre plusieurs autres insectes.

Les sauterelles peuvent être attirées par le piège suivant. Remplir des pots de 2 litres avec 10 % de mélasse et 90 % d'eau et mettre les pots où les sauterelles sont nombreuses. Les sauterelles mangent à peu près de tout. Il y a cependant sur le marché des variétés de maïs et de blé qui résistent aux sauterelles.

Des poulets peuvent être gardés dans les vergers pour manger les sauterelles et autres insectes tout en engraissant le sol. Les poulets devraient être déplacés après quelques jours.

Les oiseaux mangent beaucoup de sauterelles et, chose étonnante, les chats aussi. Je crois qu'ils le font surtout pour le sport.

Scille maritime *(Urginea maritima)*

La scille servait à des fins médicales il y a 4000 ans et des documents égyptiens décrivent un médicament fait à partir des bulbes de scille pour soigner les maladies de cœur. Les Grecs et les Romains utilisaient aussi la scille comme plante médicinale et ornementale.

De nombreuses substances ont été isolées du bulbe de la scille, qui peut peser jusqu'à 2 kg.

La scille appartient à la famille des liliacées et son nom vient d'une tribu arabe d'Algérie.

Séchage des herbes

Les feuilles des herbes doivent être coupées, lavées et attachées en paquets lâches pour pouvoir s'égoutter et sécher. Les mettre dans un grand sac brun préalablement étiqueté. Fermer l'ouverture du sac sur les tiges et suspendre le sac avec les herbes à l'intérieur dans un endroit bien aéré. Séchées de cette façon, les herbes ne perdent pas leurs huiles naturelles, ce qui serait le cas si on les faisait sécher dans des boîtes en carton.

Pour les herbes à graines, laisser la plante atteindre sa maturité afin que les graines se détachent de l'ombelle sous une légère pression. Cela se produit lorsqu'elles perdent leur couleur verte, mais avant qu'elles tombent d'elles-mêmes. Couper les têtes par un matin sec et les étendre au soleil sur un papier brun pour le reste de la journée en les remuant à l'occasion. Répéter pendant plusieurs jours en les rentrant la nuit jusqu'à ce qu'elles soient bien sèches. Les graines peuvent être conservées dans des bouteilles en verre opaque ou dans des bouteilles transparentes qu'on gardera dans un endroit sombre.

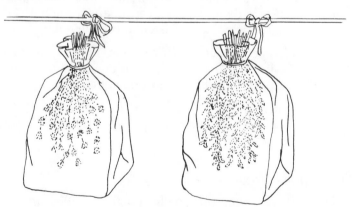

Faire sécher les herbes dans des sacs en papier dans un endroit bien aéré.

156

Seigle *(Secale cereale)*

Le seigle est une excellente culture pour étouffer la stellaire et les mauvaises herbes basses qui survivent à l'hiver. Cultivé deux fois de suite, il étouffera même le chiendent. Une culture de couverture consécutive aux semailles réduira les taches noires sur les fraises et les racines roses sur les oignons.

Le seigle profitera de la centaurée bleue en autant que la proportion est de 100 pour 1, tandis que quelques pensées l'aideront tout en voyant leur germination stimulée par la proximité du seigle. Le seigle nuit cependant au coquelicot en retardant sa germination et sa croissance.

De la farine de seigle saupoudrée sur des plants de chou mouillés de rosée détruira la pyéride du chou et les lépidoptères. La poudre de diatomées sert d'insecticide pour le seigle entreposé sans être dommageable pour les animaux à sang chaud.

Sel *(Chlorure de sodium)*

Le sel a un effet dommageable sur toutes les plantes et ne devrait pas être utilisé, sauf si on laisse ensuite le sol se reposer un certain temps. Il est utile pour détruire le chardon des champs ou le chiendent et donne de meilleurs résultats s'il est mis immédiatement après que les herbes ont été coupées. Appliquer plusieurs fois lorsque le temps est sec. Le sel détruit aussi les limaces.

Sésame *(Sesamum orientale)*

Le sésame est une herbe tropicale cultivée principalement pour l'huile qu'on tire de ses graines. Elle est utilisée en cuisine comme huile à salade ou pour la cuisson, tandis que les graines délicieuses parfument le pain, les bonbons et les biscuits.

Le sésame est très sensible à l'exsudation des racines du sorgho *(Andropogon sorghum)* et ses graines ne mûriront pas bien dans son entourage. Le *Sesamin* est un dérivé de l'huile de sésame qui sert à accroître les effets du pyrèthre.

Silice

L'acide silicique est un minéral qu'on trouve dans les plantes comme l'ortie dioïque et le chiendent, mais il est particulièrement abondant dans la prêle *(Equisetum arvense)* et la renouée *(Polygonum aviculare)*. C'est la silice contenue dans la prêle qui l'a rendue utile en médecine pendant des siècles.

L'acide silicique renforcit les tissus, spécialement ceux des poumons et accroît la résistance aux maladies. On rapporte qu'il a un effet bénéfique sur les inflammations des gencives, de la bouche et de la peau en général.

Une infusion de prêle est efficace contre le mildiou ou tout autre champignon trouvé sur les fruits, les vignes, les légumes et les rosiers. Elle agit rapidement et sans déranger le sol.

Selon Beatrice Trum Hunter, la silice sous forme d'aérogel est le plus efficace des insecticides. On peut l'utiliser contre les tribolium de la farine, les calandes des grains et les larves des pyrales méditerranéennes de la farine.

En allemand, la prêle se nomme *Zinnkraut*, ou plante d'étain, à cause de sa forte teneur en silice qui la rend utile pour récurer le cuivre, l'étain et autres métaux fins.

La prêle est parfois recommandée comme diurétique. Les plantes riches en silice sont aussi valables pour les piles de compost.

Sorgho *(Andropogon sorghum, S. vulgare* ou *Holcus sorghum)*

Plusieurs variétés de sorgho résistant aux insectes ont été développées. La variété *Atlas* résiste aux punaises des céréales alors que la *Milo* y est plus vulnérable. La variété *Sudan* résiste aux criocères des céréales alors que la *White Martin* y est vulnérable.

Le sorgho ou gros mil est principalement cultivé pour le sirop qu'on obtient en pressant ses tiges et qui peut remplacer le sucre. Pour en tirer le maximum de sucre, le sorgho doit être planté dans un sol qui n'est pas trop fertile. Les grosses tiges sont plus pauvres en sucre que les petites qui ont poussé lentement et qui n'ont pas atteint plus de 15 mm de diamètre.

L'exsudation des racines du sorgho semble être toxique pour le sésame et le blé. Les grains de sorgho peuvent être protégés contre les insectes par la poudre de diatomées.

Sorgho du Soudan *(Sorghum vulgare sudanense)*

Cette plante annuelle pousse rapidement et peut atteindre 3 mètres de hauteur. C'est un excellent pâturage d'été qui pousse bien avec les pois chinois si le sol est assez humide.

Le *Sorghum halepense*, un sorgho vivace, pousse comme une mauvaise herbe dans le sud des États-Unis. Il ressemble au sorgho du Soudan, mais se propage par les rhizomes dans les cultures où il devient envahissant. Il constitue cependant une bonne nourriture pour le bétail.

Souchet *(Cyperus)*

Le souchet est au moins aussi vieux que la civilisation, puisqu'il était cultivé par les Égyptiens il y a plus de 5000 ans. Le nom scientifique *Cyperus esculentus* signifie souchet comestible. La noix du souchet, qui est en réalité un tubercule, peut être employée dans la préparation de plusieurs mets lorsqu'on désire obtenir une saveur différente et exotique. Pensez-y bien avant de cultiver cette plante, car elle peut devenir envahissante.

Souci *(Calendula)*

Le souci officinal *(Calendula officinalis)* planté à proximité des conifères éloignera les chiens. Ses fleurs séchées étaient employées par nos grand-mères pour donner plus de saveur aux soupes.

Souris

On peut éloigner les souris et les rats avec des feuilles de menthe fraîches ou séchées, de l'huile de menthe et du camphre. La naphtaline éloigne aussi les lapins et les souris, mais ne devrait pas être employée à proximité des cultures alimentaires.

La scille maritime, la lavande, l'absinthe, la camomille *arvensis* et l'euphorbe éloignent les souris, tandis que les pois vivaces sont utiles contre les souris des champs et les feuilles de sureau nain, contre les souris des greniers.

Si les souris aiment trop votre jardin, éloignez-les en plantant des bulbes de jonquille, de narcisse, de scille ou de muscari.

Soya

Voir *Pois chinois.*

Sumac grimpant

Voir *Herbe à puce.*

Sureau *(Sambucus canadensis)*

Les sureaux adorent l'humidité et sont utiles près des piles de compost qui s'égouttent mal. En plus d'absorber l'excès d'humidité, ils stimulent la fermentation du compost. Les sureaux sont aussi reconnus pour fournir un humus très riche autour de leurs racines.

Symbiose

La symbiose est l'étroite association de deux organismes distincts. À titre d'exemple, prenons le lichen qui est en réalité deux plantes : un champignon et une algue vivant ensemble et profitant l'un de l'autre.

160

L'antibiose est le contraire de la symbiose. Une telle association, comme dans les cas de parasitisme, est désavantageuse pour l'un des organismes. Le gui, qui est le parasite de nombreux arbres, en est un bon exemple.

T

Tabac *(Nicotiana tabacum)*

Depuis la fin du 17e siècle, on utilise le tabac et son principal alcaloïde, la nicotine, comme insecticide. À l'état pur, cet alcaloïde se présente sous la forme d'un liquide incolore et à peu près inodore. C'est toutefois un poison violent pour les insectes et très toxique pour les animaux. Il est très volatil et s'évapore presque immédiatement de la plante sur laquelle il a été vaporisé ou saupoudré. Il est utile contre les insectes à corps mou, comme les aphidiens (pucerons), la mouche blanche, les cicadelles, les mouches de la carotte, les thrips et les tétranyques. Des feuilles de tabac séchées et broyées ajoutées à une solution de bentonite peuvent être vaporisées sur les pommiers pour éloigner les carpocapses de la pomme.

Le tabac aime être fertilisé par un compost fait à partir de ses propres feuilles et il préfère pousser au même endroit année après année. Les feuilles de tabac sont toxiques à cause de la nicotine qu'elles contiennent.

Taches de rousseur

Je ne déteste pas les taches de rousseur. Ma mère m'a toujours dit qu'elles étaient les traces laissées par les baisers des anges. Certaines personnes ont reçu plus de baisers qu'elles n'en auraient voulu. Si les taches de rousseur vous ennuient, des fleurs de sureau ajoutées à un bain facial à la vapeur nettoieront et adouciront la peau tout en réduisant les taches de rousseur et les problèmes de pigmentation, surtout si elles sont mélangées à du petit lait et du yogourt. Un tel masque facial tonifie la peau en plus de l'adoucir. L'eau de persil est aussi efficace, semble-t-il, pour faire disparaître les taches de rousseur et les grains de beauté.

Les feuilles broyées ou le jus frais pressé de l'*Alchemilla vulgaris* peuvent traiter les inflammations cutanées, l'acné et les taches de rousseur. Les fleurs de tilleul, en usage externe, sont excellentes contre les taches de rousseur, les rides et les impuretés de la peau. Elles stimulent également la croissance des cheveux.

Les personnes qui jardinent beaucoup sont vulnérables aux coups de soleil. L'aloès est excellent pour soulager les insolations.

Tanaisie *(Tanacetum vulgare)*

La tanaisie peut être dangereuse en infusion (voir le chapitre « Plantes toxiques »). Plantée sous les arbres fruitiers, elle éloignera les insectes perceurs. Elle est aussi une bonne compagne pour les rosiers, les framboisiers et les vignes. Elle éloigne les insectes volants, les chrysomèles rayés du concombre, les punaises de la courge, les mouches et les fourmis. Ses feuilles séchées protègent les lainages et les fourrures entreposés.

Le feuillage de la tanaisie, qui ressemble à celui des fougères, est couronné de fleurs en boutons au parfum agréable. Même si ses racines sont parfois utilisées, c'est le haut de la plante qui a le plus d'importance.

La tanaisie, un substitut du poivre, était largement utilisée au Moyen-Âge et était associée au culte de la Vierge Marie.

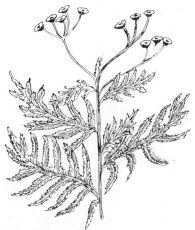

Plantez la tanaisie dans les vergers et les jardins pour éloigner les insectes volants et les perceurs. Les infusions de tanaisie peuvent être dangereuses pour les humains et pour les bestiaux

La tanaisie contient des huiles volatiles, de la cire, de la stéarine, de la chlorophylle, des résines amères, des matières colorantes jaunes, du tanin, de l'acide gallique, de l'acide tanacétique (qui est cristallisable), de la chaux, du baryte et de l'oxyde de plomb. À cause de sa teneur en potassium, la tanaisie est utile dans les piles de compost.

Taupes *(Gryllidae)*

Les taupes sont souvent considérées comme des nuisances parce qu'elles mangent des insectes utiles comme les vers de terre. Cependant, elles mangent aussi les scarabées japonais. Les taupes seront éloignées par certaines plantes, dont une variété d'euphorbe — *Euphorbia lathyrus* —, les bulbes de jonquille et les plants de ricin.

Teignes et mites

Si les teignes et les mites s'attaquent aux arbres fruitiers, suspendez-y de petits contenants remplis d'un mélange de 250 ml de mélasse et de 375 ml d'eau. Retirez les insectes de temps à autre ou fabriquez un nouveau mélange.

Tétranyques *(Acarina)*

Les tétranyques peuvent parfois être enlevés des plantes avec un jet d'eau énergique. Une fois délogés, ils retournent rarement sur la plante. Un solution d'huile à 3%, de la poudre de pyrèthre ou un mélange d'oignons et de piments forts peuvent être vaporisés sur les plantes pour éloigner les tétranyques. J'ai aussi observé que l'ail faisait fuir les tétranyques des tomates et que les coccinelles étaient leurs ennemis naturels. Les tétranyques, aussi appelés « araignées rouges », peuvent apparaître soudainement par une chaude journée d'été.

Thlaspi des champs *(Thlaspi arvense)*

Comme la bourse à pasteur, cette plante abonde dans les champs de céréales. Sa graine contient 20% d'huile et, si elle est broyée avec le grain, elle gâtera la farine.

Thym *(Thymus vulgaris)*

Le thym sert depuis longtemps à des fins culinaires et médicinales. Son huile est encore utilisée comme sirop contre le rhume alors que le thymol a des propriétés antibactériennes. En cuisine, le thym sert surtout à aromatiser les volailles et les vinaigrettes. Le thym citronné donne une tisane délicieuse.

Cette herbe fait fuir la piéryde du chou et est bénéfique partout dans le jardin, car elle accentue la saveur des autres herbes et plantes.

Tomate *(Lycopersicon esculentum)*

Les tomates protègent les asperges contre les criocères. Les tomates et les membres de la famille des choux ne s'aiment pas et devraient être plantés loin les uns des autres. Les tomates protègent les groseilles contre les insectes.

Les tomates aiment la compagnie de la ciboulette, de l'oignon, du persil, des œillets d'Inde, des capucines et des carottes. Depuis quelques années, je plante des bulbes d'ail entre mes plants de tomates pour les protéger contre les tétranyques. Même si elles ne contiennent aucun élément fongicide, les tomates protègent les rosiers contre les taches noires.

Le principe actif des tomates est la *solanine*, un alcaloïde volatile qui a déjà été utilisé comme insecticide. Pour protéger les rosiers, préparer la solution suivante. Extraire le jus des feuilles des plants de tomates et y ajouter 4 à 5 litres d'eau et une cuillerée à soupe de fécule de maïs. Arroser ou vaporiser les rosiers qui ne peuvent être plantés près des tomates. Conserver au réfrigérateur.

L'odeur que la mouffette dégage pour se défendre peut être enlevée avec du jus de tomate.

Contrairement à la plupart des légumes, les tomates préfèrent pousser au même endroit année après année. Toutefois, si les plants sont infestés par une maladie, il faudra les déplacer. La proximité de l'ortie dioïque améliore la conservation des tomates et le cycloloma en petite quantité leur est aussi bénéfique. Comme les tomates sont gourmandes, il faut leur donner beaucoup de compost ou d'engrais décomposé. Des paillis et de l'eau maintiendront l'humidité du sol tout en prévenant la flétrissure des feuilles et des fleurs. Ne jamais arroser les tomates par le haut, mais imprégner le sol profondément. Les tomates sont gênées par le voisinage du chou-rave et du fenouil.

On doit éviter de planter les tomates avec le maïs, car les mêmes vers s'attaquent aux deux plantes. Les tomates rendent aussi les pommes de terre plantées à proximité des tomates plus vulnérables aux brunissures.

Les fumeurs doivent se laver les mains avant de toucher aux plants de tomates, car ils sont vulnérables aux maladies transmises par le tabac.

L'odeur désagréable de la mouffette peut être enlevée avec du jus de tomate. Les mouffettes éloignent cependant les souris et certains insectes.

Topinambour *(Helianthus tuberosus)*

En Italie, on l'appelle *girasole*, ce qui signifie « qui se tourne vers le soleil ». Il fait partie de la famille des tournesols.

Les topinambours originaires des États-Unis étaient connus et utilisés par les Amérindiens. Ils ne font pas bon ménage avec le maïs. Leurs racines sont comestibles et leurs fleurs ressemblent à celles du tournesol, mais sont plus petites.

Le principe actif de la racine du topinambour est l'*inuline*, un polysaccharide sans saveur et blanc qui peut être converti en fructose. Cela présente un intérêt particulier pour les diabétiques, car la fructose est très nutritive tout en étant le plus sucré des substituts du sucre. Dans la plupart des fruits, la fructose est accompagnée de la dextrose, mais elle se trouve seule dans le topinambour. Les topinambours ont une grande valeur nutritive et sont riches en vitamines. Ils peuvent être cuits ou mangés crus en salades.

Tournesol

Voir *Hélianthe.*

Trèfle *(Trifolium)*

Du trèfle planté entre des rangs de vigne ajoutera de l'azote au sol. Il en va de même dans les vergers ou avec d'autres herbes. Le trèfle déteste la jusquiame et tous les membres de la famille des renonculacées qui sécrètent une substance inhibant la bactérie qui fixe l'azote. C'est si vrai que les trèfles disparaîtront des champs à mesure que les renonculacées s'étendront. Le trèfle a un effet stimulant sur la morelle noire *(Solanum nigrum)*.

Trèfle d'odeur

Voir *Mélilot.*

Triticale *(Triticale)*

Le Centre international du blé et du maïs du Mexique a produit cette nouvelle céréale en croisant du blé et du seigle. Le triticale combine la productivité du blé et la résistance aux maladies et à la sécheresse du seigle. En nourrissant l'embryon et en provoquant chimiquement la duplication des chromosomes, on a réussi à donner à l'hybride les qualités de ses deux parents. La farine de triticale est de meilleure qualité que la farine de seigle.

Le mot triticale vient des noms scientifiques du blé et du seigle *triticum* et *secale.* Son contenu protéinique et le ratio d'efficacité de ses protéines sont supérieurs à ceux du blé ou du maïs et se comparent à ceux du pois chinois. Il contient aussi plus de lysine et de méthionine que le blé. Le triticale a un rendement deux ou trois fois supérieur à celui du blé ou du seigle et il peut croître partout où le blé pousse. Les céréales s'améliorent constamment avec le développement de nouvelles variétés.

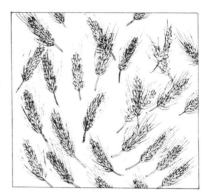

Le triticale est un hybride du blé et du seigle dont le rendement est deux à trois fois supérieur à celui des plantes mères. Même s'il a été développé au Mexique, il peut croître partout où pousse le blé.

Trompette du diable

Voir *Datura*.

Tulipe *(Tulipa)*

Entre 1634 et 1637, les tulipes étaient si à la mode en Hollande qu'on a parlé de la « tulipomanie » et que les bulbes se sont vendus à des prix exorbitants. La tulipe tire son nom d'un mot turc qui signifie « turban ».

Même si les tulipes adorent le soleil, elles poussent mieux dans le nord que dans le sud, car leurs bulbes ont besoin d'une période de froid. Les souris aiment les bulbes et il est sage de les planter dans une petite cage de fil de fer placée dans le sol et recouverte de terre. Des bulbes de scille peuvent aussi être plantés avec les tulipes, car ils éloignent les souris. Ne jamais planter de tulipes près du blé, car elles nuisent à sa croissance.

V

Vache

Les vaches donneront plus de lait et un lait de meilleure qualité si elles sont nourries au foin d'ortie. On croit aussi que la marjolaine donnée en pâture aux vaches prévient les avortements. Une tisane faite de citronnelle et de marjolaine peut être donnée aux vaches après qu'elle ont mis bas.

Le pied-d'alouette est une plante toxique pour les vaches.

Valériane *(Valeriana officinalis)*

Cette herbe donne de la vigueur à tous les légumes du jardin. Elle est riche en phosphore et stimule l'activité du sol. Elle attire les vers de terre, ce qui en fait une plante idéale pour les piles de compost.

On croit que le joueur de pipeau de la légende a utilisé de la valériane pour faire fuir les rats et plusieurs jardiniers croient qu'elle attire les chats qui aiment se frotter contre ses feuilles. Un document de 1820 rapporte : « Il est bien connu que les chats affectionnent la racine de valériane ; les rats en sont aussi friands et les exterminateurs l'utilisent pour les regrouper. »

Au début de la colonie, la valériane était largement utilisée comme plante médicinale. Ses racines à l'odeur étrange étaient infusées. Comme l'huile de valériane a un effet sur le système nerveux central, on ne doit pas abuser de la tisane, même si plusieurs pensent qu'elle accroît les capacités intellectuelles.

La tisane froide se prépare de la façon suivante. Faire tremper une cuillerée à café de valériane dans 225 ml d'eau froide. Couvrir et laisser reposer au frais pendant 12 à 24 heures. Passer et boire une heure avant le coucher.

Vaporisation

Lorsqu'on emploie des produits à vaporiser à base de plantes, on doit y ajouter un peu de savon pour que la substance adhère mieux. Le savon a des propriétés antiseptiques et il est bon d'arroser les plantes avec de l'eau légèrement savonneuse pour prévenir les maladies.

Vaporiser (composés organiques à)

Les fleurs de pyrèthre *(Chrysanthemum cinerariaefolium* ou *C. Roseum)* peuvent être séchées sur des journaux dans un endroit bien aéré. Pulvériser et mélanger à l'eau pour vaporiser.

La *roténone* est tirée des racines de derris. Faire tremper les racines toute la nuit dans un peu d'eau, les écraser le jour suivant et les remettre dans l'eau pour les faire bouillir. La substance obtenue est insecticide.

Le tabac et son principal alcaloïde, la *nicotine*, sont utilisés comme insecticide depuis la fin du 17e siècle. En poudre et en vaporisation, ses effets se dissipent toutefois rapidement. Le sulfate de nicotine dilué dans beaucoup d'eau — savonneuse pour favoriser l'adhérence — a un effet plus durable. Ces deux substances sont très toxiques pour les mammifères et pour les insectes et devraient être manipulées avec soin.

La plus amère de toutes les herbes, la *rue*, est excellente pour éloigner les insectes, particulièrement le scarabée japonais qui s'attaque aux rosiers et aux framboisiers.

Les huiles dormantes bien utilisées sont efficaces particulièrement dans les vergers contre plusieurs insectes suceurs et mangeurs de feuilles. L'huile forme une pellicule sur les œufs des insectes et les fait suffoquer. Appliquer au début du printemps sur les arbres sans feuilles (voir également *Bacille thuringiensis, Ciboulette, Ail, Sauterelle, Raifort, Prêle, Lavande, Muguet, Capucine, Panais, Rhubarbe, Sauge, Ortie dioïque, Tabac, Tomate*).

Varech

Les varechs contiennent de 20 % à 25 % de chlorure de potassium, du sel, du carbonate de sodium, du bore, de l'iodine et d'autres éléments. Ceux qui vivent près de la mer peuvent utiliser les varechs comme paillis ou dans les piles de compost. Ils font un excellent paillis autour des arbres fruitiers. En outre, le varech en décomposition attire moins les souris que la paille.

Il est préférable de hacher les varechs, ne serait-ce que pour l'apparence. On en profitera pour en rincer le sel, mais il peut en rester un peu sans que cela soit dommageable.

Les varechs sont aussi employés sous forme de fertilisant liquide appliqué directement sur les feuilles des plantes et des arbres.

On a découvert que l'usage des algues comme fertilisant rendait les tomates plus résistantes au gel, accentuait le goût sucré de certains fruits et améliorait la résistance aux maladies et aux insectes. Comme les betteraves et les panais réagissent mal à une déficience en bore dans le sol, un paillis d'algues hachées sera excellent pour eux.

Les algues favorisent la transformation de certains éléments, les rendant assimilables par les plantes. Ils accélèrent la germination des graines et favorisent le développement des fleurs et des fruits, donc le rendement général des cultures.

À défaut d'algues, on peut utiliser des émulsions de poisson ou des plantes d'eau douce. Même si elles ne sont pas aussi riches que les algues, elle font un bon paillis et enrichissent une pile de compost. J'ai pris l'habitude de rapporter des plantes aquatiques chaque fois que nous allons à la pêche.

Vesce *(Vicia)*

La vesce est une plante vivace à croissance lente qui fait bon ménage avec l'avoine et le seigle. Par leur croissance rapide, l'avoine et le seigle donneront de l'ombre à la vesce. Dans un tel cas, la vesce doit être semée d'une façon plus clairsemée, sinon elle risque d'étouffer les autres. La vesce constitue l'un des meilleurs engrais verts. Comme c'est une légumineuse, elle enrichira le sol en azote et en humus.

Vesse-de-loup *(Fungi)*

Les vesses-de-loup peuvent atteindre jusqu'à 60 cm de diamètre. Les spores poudreuses des vesses-de-loup permettent d'arrêter les hémorragies externes. Cette poudre est cependant explosive et on doit la conserver dans un contenant hermétiquement fermé loin du feu.

Ver fil de fer

Les vers fil de fer ou nématodes sont de petits insectes aveugles qui percent la racine des plantes pour se nourrir et pour y déposer leurs œufs. Lorsque des matières organiques sont mélangées au sol, elles encouragent la formation de champignons utiles et d'autres nématodes qui se nourrissent des insectes parasites comme le ver fil de fer. Ces champignons croissent sur les matières végétales en décomposition et tuent les nématodes. On peut réduire les larves de taupin et les nématodes en mettant une bonne quantité de fumier de basse-cour sur le sol avant de labourer.

Ver gris *(Noctuidae)*

Pour éloigner les vers gris, mettre un collet en carton de 8 cm autour des jeunes plants, dont 3 cm dans le sol et 5 cm à l'extérieur du sol. Utilisez le carton des rouleaux d'essuie-tout ou de papier hygiénique ou encore des boîtes de lait.

Des allumettes, des cure-dents, des brindilles ou des clous posés le long de la tige empêcheront les vers de s'enrouler autour de la plante et de la couper. Un paillis de feuilles de chêne éloignera également les vers gris.

Vigne *(Vitis)*

Voir le chapitre « Pollinisation des fruits et des noix ».

Violette tricolore

Voir *Pensée des champs.*

Y

Yucca *(Yucca)*

Cette plante porte plusieurs noms mais son plus joli est *candelabra de dios* ou « chandelle du seigneur ». Le type le plus robuste, le *Yucca filamentosa*, poussera dans le nord s'il est protégé en hiver.

Les yuccas font d'excellentes plantes de rocaille et demandent les mêmes soins que les autres plantes utilisées à cet effet. Ils poussent bien avec de la mousse de pin, un couvre-sol qui atteint de 15 cm à 40 cm de hauteur et dont le feuillage ressemble à de petites touffes d'aiguilles. De grandes tulipes et des jonquilles plantées autour des yuccas ajouteront de la couleur pendant que la mousse verdit.

Il n'est possible de planter des yuccas que dans les régions les plus chaudes du Québec. Et encore faut-il leur fournir une protection toute spéciale pour l'hiver. Malgré tout, si vous désirez tenter l'expérience, renseignez-vous d'abord chez votre pépiniériste qui saura vous conseiller les variétés les plus rustiques. Il pourra aussi vous dire si le climat de votre région est assez clément pour le yucca.

Pollinisation des fruits et des noix

La pollinisation des arbres fruitiers, des arbres à fruits secs (noix), des vignes et des ronces à petits fruits est vraiment une question de bon voisinage.

Le jardinier qui a un petit terrain est plus limité dans le choix et l'emplacement des arbres que celui qui possède des acres de terre.

Rares sont ceux qui peuvent planter plus de deux ou trois espèces d'arbres. Pour avoir du succès, il faut tenir compte des espèces qui peuvent se féconder elles-mêmes et des agents qui favorisent la pollinisation.

Comme les arbres fruitiers ont une plus longue vie que les légumes, le choix de leur emplacement est plus important. Leur utilité peut souvent être accrue en considérant l'aspect décoratif et l'ombre qu'ils procurent.

Les pommiers, les pruniers, les cerisiers et les poiriers en fleurs sont si beaux qu'on peut les utiliser comme arbres ornementaux. Le caryer et le noyer — tout comme le pommier et le poirier — donneront de l'ombre.

Dans les régions où ils poussent bien, les bleuets en corymbes (*vaccinium corymbosum*) s'harmonisent bien avec les arbrisseaux à fleurs comme le forsythia, le seringat et la spirée. Un treillis sera à la fois utile et beau si on y fait grimper de la vigne. Les clôtures peu attrayantes peuvent aussi être recouvertes de plantes grimpantes et on peut créer une zone d'ombre sur un patio avec quelques plants de vigne.

Si le terrain n'est pas assez grand pour plusieurs arbres, faites une liste des arbres fruitiers et des arbres à fruits secs qui poussent sur les terrains voisins. Plusieurs d'entre eux peuvent être de bons pollinisateurs pour les arbres que vous voulez planter.

Les arbres fruitiers et les arbres à fruits secs pousseront mieux s'ils sont plantés en groupes de deux ou trois de la même espèce. Pour certaines variétés, c'est même impératif, car ils porteront peu de fruits sans agent de pollinisation. Cependant, aussi importante que puisse être la pollinisation, elle n'est qu'un élément d'un tout.

Les arbres en santé profitent mieux d'un bon voisinage que les arbres malades. Ils produiront aussi plus de pollen. Cela s'applique à tous les arbres, grands ou petits.

Après avoir défini l'emplacement du verger, la première année sera consacrée à la préparation du sol. Si possible, choisir un terrain en pente, bien aéré et bien drainé. Il n'y a rien qu'un arbre déteste plus qu'une croûte dure et un sous-sol détrempé.

Cultivez une plante qui nourrira le sol, comme du seigle, de la vesce ou des pois chinois et enfouissez avec un engrais bien décomposé. Laissez la décomposition se faire, car les arbres n'aiment pas les engrais non décomposés ou les matières organiques autour de leurs racines. Dans les forêts, les matières organiques se déposent sur le sol et seul l'humus décomposé se rend jusqu'aux racines.

Les arbres sont plantés au printemps, mais il est possible de les planter à l'automne. On prendra soin, toutefois, de ne pas planter trop tard à l'automne, car alors le gel risquerait de compromettre le succès de la plantation. Les arbres seront plantés lorsque le sol sera prêt à les recevoir. Un sol qui absorbe rapidement l'eau est idéal. Pour faire un test de drainage, creusez un trou de 25 cm de profondeur dans le sol et remplissez-le d'eau. Si le sol absorbe toute l'eau en 8 heures ou moins, le drainage est satisfaisant. Si l'eau reste plus longtemps, le drainage est insuffisant. Pour prévenir le pourrissement des racines, ajoutez des pierres ou des pierres concassées. Il est également recommandé de mélanger du compost au sol.

Pour les ronces à petits fruits, l'engrais doit être enfoui 30 cm plus profondément que les trous destinés à planter les arbrisseaux. Pour les arbres, la préparation du sol doit se faire à une profondeur de 60 cm à un mètre de plus que la profondeur des trous.

Peu de temps avant de planter, remplir le trou d'eau et laisser l'eau s'égoutter complètement. Cela empêchera le sol d'absorber l'eau de l'arbre ou de l'arbrisseau fraîchement planté.

Un paillis autour des nouveaux arbres favorisera leur croissance en gardant l'humidité et en enrichissant le sol en se décomposant.

La pollinisation est surtout assurée par les abeilles, les bourdons et autres insectes utiles. N'utilisez donc jamais d'insecticides pendant la floraison. Voici maintenant une liste des principaux arbres fruitiers et des conseils pour obtenir de bons résultats.

Arbres fruitiers

Abricotiers

Tous les abricotiers se fécondent d'eux-mêmes. Une pollinisation croisée leur permettra cependant de porter plus de fruits. La variété *Mandchourie*, de qualité supérieure, est maintenant disponible en arbres nains.

Renseignez-vous toutefois auprès de votre pépiniériste afin de savoir si les abricotiers peuvent croître dans votre région.

Bleuets

Ayez au moins deux variétés différentes. Les variétés les plus populaires dans le sud sont les *Tifblue, Briteblue, Delite, Woodard* et *Hombell.* Les variétés recommandées dans les régions plus au nord sont les *Northland, Bluetta et Berkley.* Les bleuets aiment un sol acide (pH 4 à pH 5) et poreux, soit un mélange de terre et de sable avec une nappe phréatique se trouvant entre 40 cm à 80 cm de profondeur.

Cerisiers

Toutes les cerises sures viennent de variétés qui se fécondent d'elles-mêmes et qui ne posent aucun problème de pollinisation. Les bonnes variétés sont les *Montmorency* et *Meteor.* Un cerisier peut être planté seul et il produira des fruits à partir de son propre pollen.

Les cerisiers produisant des cerises sucrées ne résistent pas au climat du nord.

Figuier

On considère souvent les figues comme un fruit tropical, mais certaines variétés, comme la *Dwarf Everbearring Fig for the North*, peuvent pousser plus au nord.

Dans le sud-ouest du Québec, il peut être possible de planter avec succès des figuiers. Il semble même que l'on puisse espérer récolter quelques fruits. Alors, qu'attendons-nous pour tenter l'expérience?

Dans les figuiers, la fleur se forme à l'intérieur du fruit. Le phytolaque pousse bien en compagnie du figuier.

Fraisiers

La plupart des fraisiers actuellement vendus se fécondent d'eux-mêmes. Les meilleures variétés varient d'une région à l'autre et il est recommandé de consulter un spécialiste.

Les fraisiers profiteront de la proximité de quelques plants de bourrache, qui attire les abeilles.

178

Certains producteurs plantent des fraises entre les arbres fruitiers. Les fraisiers peuvent produire pendant plusieurs années avant que les arbres aient besoin de l'espace. La vente des fraises permettra de financer une partie des frais engagés pour partir le verger. La culture intensive des fraises est bénéfique pour les jeunes arbres fruitiers. Comme les fraisiers ne portent des fruits que dans de bonnes conditions d'humidité, ils seront un bon indicateur de la qualité du sol pour les arbres fruitiers.

Framboisiers

Les framboisiers aiment un sol à peu près neutre (pH 6,5 à pH 7) et se fécondent d'eux-mêmes. Les bonnes variétés sont, pour les rouges : *Latham, Viking, Boyne, Newburg, Heritage* et *Olympic ;* pour les noires : *Dundee et Black Hawk.* Ne plantez pas de framboisiers près des pommes de terre, car ils rendent les pommes de terre vulnérables aux brunissures.

Mûres de ronce

Certaines variétés exigent une pollinisation croisée. Même les variétés qui se fécondent d'elles-mêmes profiteront de la pollinisation des insectes.

Les fleurs de cet arbuste sont très attirantes pour leur principal agent de pollinisation, les abeilles. Si la variété exige une pollinisation croisée, assurez-vous d'avoir plusieurs pollinisateurs en plaçant des ruches d'abeilles à proximité.

Les variétés qui poussent le mieux sous les climats nordiques sont les *Darrow, Tayberry* et *Black Satin.*

Ne jamais planter près des framboisiers, mais dans un sol moyennement acide (pH 5 à pH 5,75).

Nectarines

Les nectarines se fécondent d'elles-mêmes. Elles favorisent la pollinisation des pêchers et les pêchers accroissent leur rendement.

La seule variété de nectarines qui peut résister dans le nord est la *Handired.* Informez-vous auprès de votre pépiniériste si vous désirez en tenter la culture.

Pêchers

La plupart des pêchers se fécondent d'eux-mêmes. Les variétés *Reliance, Hartbelle* et *Lourig* résistent mieux dans le nord. Les pêchers aiment un sol neutre dont le pH varie entre 6,5 et 7.

Poiriers

La plupart des poiriers ont besoin de la proximité d'autres variétés pour donner des fruits. Les variétés *Clapp's Favourite* et *Flemish Beauty* exigent une pollinisation croisée. Comme pollinisatrice, la variété *Clapp's Favourite* semble convenir à la plupart des poiriers.

Si vous demeurez dans une région où les tavelures du fruit sont fréquentes, il serait bon d'acheter des variétés résistantes.

Pommier

Tous les pommiers ont besoin d'un agent de pollinisation à l'exception des *Golden Delicious, Jonathan* et *Polaris*. Ces trois variétés se féconderont d'elles-mêmes et porteront des fruits même si l'arbre est planté seul. Ne plantez pas la *McIntosh* et la *Northern Spy* comme agents réciproques de pollinisation.

Quelques bons choix de variétés à planter ensemble sont : *Lodi, Jaune délicieuse, Rouge délicieuse, Cortland, Fameuse* et *McIntosh.*

De toutes les variétés, la *Jaune délicieuse* est probablement la meilleure puisqu'elle produit beaucoup de pollen et que sa saison de floraison est longue. D'autres variétés produisant beaucoup de pollen peuvent être plantées comme agent de pollinisation : *Jaune transparente, Idared, Jonathan* et *Wealthy.*

Si vous avez de l'espace pour un seul arbre, vous pouvez choisir votre arbre préféré et assurer sa pollinisation. Greffez-y une branche d'un bon agent de pollinisation. Les pommiers aiment un sol à peu près neutre dont le pH se situe entre 6,5 et 7.

Pommier sauvage

Les pommiers sauvages sont souvent plantés pour leur beauté. Ces pommiers se fécondent d'eux-mêmes.

Pruniers

Tous les pruniers ont besoin d'un agent de pollinisation, à l'exception des *Giant Damson, Stanley, Damson, Mount Royal, Italienne* et *Burbank Grand Prize* qui se fécondent d'eux-mêmes. La variété *Toka* est reconnue comme une bonne productrice de pollen et est utile avec tous les pruniers rouges. Les pruniers aiment un sol modérément acide dont le pH varie entre 5 et 5,75.

Raisins

Les variétés *Concord, Fredonia* et *Niagara* se fécondent d'elles-mêmes et la vigne donnera beaucoup de raisins même si elle est plantée seule. Les raisins aiment un sol modérément acide (pH 5 à pH 5,75) et ont besoin, plus que tout autre arbre fruitier, d'une bonne circulation d'air pour prévenir les maladies apportées par les champignons comme le mildiou.

Plantez des légumes avec les vignes pour en améliorer le rendement. L'euphorbe petit-cyprès est nuisible aux vignes et doit être gardé à distance. Pour éloigner le scarabée du rosier, enlevez les herbes autour des plants de vigne, car sa larve se nourrit des racines des herbes.

Les vignes profiteront de la présence de légumes mélangés avec 15 % de plants de moutarde (les couper avant qu'ils montent en graine).

Culture des arbres fruitiers

Le docteur Ehrenfried E. Pfeiffer croit qu'il faut mélanger les espèces dans un verger pour contrer les insectes nuisibles. Il prétend que des capucines plantées entre des arbres fruitiers transmettront leur parfum aux arbres, qui deviendront repoussant pour les insectes. Cette technique est particulièrement efficace avec les pommiers pour éloigner les pucerons lanigères du pommier. Si on ne peut planter de capucines, on pourra enduire les arbres avec du jus extrait des capucines.

Le docteur Pfeiffer recommande également de planter des orties dioïques, de la ciboulette, de l'ail (contre les perceurs), des tanaisies, du raifort et de l'armoise dans les vergers. Les couvre-sol vivaces bénéfiques sont le trèfle, la luzerne et les herbes de pâturage. Les cultures temporaires qui seront enfouies comme engrais vert comprennent le trèfle géant, le trèfle rouge et le trèfle incarnat. Le sarrasin peut aussi être utile si le sol est léger et sablonneux.

Même si le mélange de trèfle rouge et de moutarde est idéal, le docteur Pfeiffer prévient que la moutarde, bien qu'elle adoucisse le sol, se répand très vite et ne devrait jamais monter en graine. Le foin de luzerne haché est réputé pour être un paillis bénéfique. On recommande aussi pour tous les arbres fruitiers une pâte faite d'une quantité égale d'engrais de vache, de poudre de diatomées et d'argile additionnée d'une infusion de prêle. Ce mélange sera appliqué à la brosse ou en vaporisation dans les grands vergers.

Plusieurs excellentes préparations pour arbres fruitiers sont disponibles sur le marché. On recommande un engrais de vache pour le sol et du silice pour le feuillage.

On retrouve beaucoup de silice dans les sols alluvionnaires en bordure des Montérégiennes au Québec ; c'est pourquoi on y rencontre beaucoup de vergers commerciaux.

Voici quelques conseils utiles pour la culture des arbres fruitiers.

Des œillets d'Inde plantés près des pommiers aideront les arbres utilisés pour les greffes et l'écussonnage.

La moutarde des champs aide les vignes et les arbres fruitiers, mais il faut la couper avant qu'elle monte en graine.

Le pissenlit à proximité des fruits et des fleurs accélérera leur maturation.

La ciboulette améliore la santé des pommiers et les protège contre la gale. Vaporiser une infusion de ciboulette pour prévenir la gale du pommier et le mildiou poudreux ou duveteux sur les groseilles à maquereau.

Au cours de leur maturation, les pommes dégagent un peu de gaz éthylène qui pourra limiter la croissance des plantes voisines, mais qui accélérera la maturation de leurs fleurs et fruits.

Si vous devez remplacer un vieil arbre, ne le faites pas par un arbre de la même espèce. Un jeune plant d'une espèce différente poussera beaucoup mieux.

N'entreposez pas les pommes avec les carottes, car ces dernières prendront une saveur amère. N'entreposez pas les pommes avec les pommes de terre, car toutes deux auront un arrière-goût.

Plantes toxiques

Les hommes dominent les plantes et les bêtes parce qu'ils ont (ou devraient avoir) la capacité de distinguer le bon du mauvais. Ils devraient apprendre à distinguer ce qui est comestible de ce qui est toxique.

Il est impossible d'éliminer toutes les plantes non comestibles, toxiques ou vénéneuses. Certaines sont très utiles en pharmacie ou sont employées comme insecticide naturel dans le jardin.

Les enfants doivent savoir quelles plantes ils peuvent toucher sans danger et lesquelles sont comestibles. Les enfants doivent cependant être assez vieux pour comprendre. Les enfants plus jeunes doivent être surveillés de la même façon qu'on veille à les éloigner des produits domestiques dangereux. Qu'elles se trouvent dans votre jardin ou dans les champs avoisinants, il faut apprendre à reconnaître les plantes toxiques.

Depuis le début des temps, les gens ont vécu près de centaines de plantes qui peuvent causer des irritations, des maladies ou même la mort. Les plantes très toxiques sont rares. La plupart le sont modérément et causent des maladies ou des irritations. Certaines causent des dermatites, des rhumes des foins ou d'autres maladies par une réaction allergique plutôt que par la toxicité de la plante elle-même.

Des douzaines de ces plantes sont très estimées pour leur beauté et très utilisées par les paysagistes. Plusieurs adultes et la plupart des enfants ne réalisent pas la toxicité de ces plantes. Qui sait, par exemple, que les jonquilles sont dangereuses ? Les graines de ricin sont très attrayantes pour les enfants et les plus petits les porteront à leur bouche. Pour ce poison, il n'existe pas encore d'antidote.

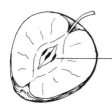

Les pépins de pommes contiennent du cyanure.

Les graines à l'intérieur du noyau d'une pêche contiennent du cyanure.

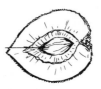

Les pommes, les pêches et le ricin ont des parties très toxiques.

Les graines de ricin contiennent une substance hautement toxique.

Même des enfants plus vieux pourront vouloir manger la noix à l'intérieur du noyau de pêche. Étant enfant, j'ai mangé cette graine qui ressemble à une amande en ignorant complètement qu'elle contenait du cyanure et que quelques-unes pouvaient me tuer. Heureusement, la saveur amère m'arrêta dès la première bouchée. Les parents ne peuvent penser à tout lorsqu'il s'agit de prévenir les dangers et, fort heureusement, plusieurs plantes toxiques ont un goût désagréable.

Ma mère ne connaissait pas la toxicité des graines de noyaux de pêches (et j'ai gardé le secret sur mon expérience) et elle ignorait pourtant très peu de choses. Elle était une habile herboriste qui préparait des pommades et des toniques à partir des plantes qu'elle ramassait.

Elle me racontait souvent ses aventures de fillette dans les forêts de l'Indiana où elle allait chercher du ginseng. Après son mariage, elle continua ses activités au Kentucky pour les poursuivre plus tard en Oklahoma — alors un territoire indien. Elle a beaucoup appris des Indiens, qui lui donnèrent le nom de Hillitata, ce qui signifie « quelqu'un qui pense bien ». À cette époque où les médecins étaient rares et où les gens préparaient leurs médicaments eux-mêmes, son savoir était très respecté. Elle avait la chance de n'être pas sensible à l'herbe à puce, insensibilité qu'elle m'a d'ailleurs laissée.

J'utilise encore aujourd'hui plusieurs recettes de ma mère pour leurs vertus thérapeutiques ou insecticides. Jusqu'à récemment, je n'avais jamais cru que les plantes toxiques pouvaient faire bon ménage avec d'autres plantes et je les gardais éloignées des fleurs, des légumes et des fruits.

Même si j'ai appris à connaître les plantes dès ma tendre enfance, j'ai encore beaucoup à apprendre — par exemple que certaines plantes non toxiques peuvent le devenir au voisinage de plantes toxiques. Les plantes toxiques absorbent le sélénium du sol, ce que les plantes non toxiques ne peuvent généralement pas

La ciguë maculée ou ciguë d'Europe ressemble au persil, aux carottes sauvages ou au panais lorsqu'elle est jeune. C'est sans doute la plante la plus toxique de nos régions. Heureusement, cette plante est plutôt rare au Québec.

faire. En séchant et en se décomposant, les plantes toxiques laissent du sélénium qui est assimilable par les autres plantes.

Je n'ai aucun diplôme en botanique et je ne suis pas une experte en plantes toxiques. Je ne prétends pas non plus les couvrir toutes dans ce court chapitre. Je décris ici celles qui sont les plus courantes dans les jardins et les potagers ou qui sont amenées par le vent comme des mauvaises herbes. J'ai identifié par un D les plantes qui peuvent causer des dermatites, les susceptibilités variant naturellement d'une personne à une autre.

Nom scientifique	Nom usuel	Partie toxique de la plante
Aconitum spp.	Aconit napel ou casque de Jupiter	Toutes les parties, plus spécialement les racines et les graines qui sont très toxiques. Symptômes : maux d'estomac et agitation nerveuse.
Aesculus spp.	Marronnier d'Inde	Feuilles et fruits.
Ailanthus altissima	Ailante ou faux verni du Japon	Feuilles et fruits ; D.
Amaryllis belladonna	Belladone ou morelle furieuse	Bulbes.
Arisaema triphyllum	Ariséma (oignon sauvage)	Toutes les parties, plus spécialement les racines qui contiennent une substance causant une grave irritation et des brûlures sur la langue et dans la bouche.
Asclepias spp.	Asclépiade	Feuilles et tiges.
Asparagus officinalis	Asperge	Les pointes contiennent une substance qui peut causer une irritation rénale si on en mange en grande quantité ; jeunes pousses ; D.
Brunsvigia rosea		Bulbes.
Bruxus sempervirens	Buis	Feuilles ; D.
Cephalanthus occidentalis	Céphalanthe occidental	Feuilles.
Cestrum spp.	Jasmin de nuit	Pousses feuillues.
Cicuta	Ciguë aquatique	Toutes les parties sont mortelles et causent des convulsions violentes et douloureuses.

Les jolis muguets ont des feuilles et des fleurs vénéneuses.

Nom scientifique	Nom usuel	Partie toxique de la plante
Convallaria majalis	Muguet	Feuilles et fleurs très toxiques.
Crotalaria spp.		Graines.
Cypripedium spp.	Sabot de la vierge	Tiges chevelues et feuilles ; D.
Daphne spp.	Daphné	Écorce, feuilles et fruits sont mortels. Quelques baies peuvent tuer un enfant.
Datura spp.	Pomme épineuse, datura, herbe aux sorciers	Toutes les parties causent une soif anormale, des troubles de vision, le délire, l'incohérence, le coma et même la mort.
Delphinium spp.	Dauphinelle, pied-d'alouette	Les jeunes plants et les graines causent des maux d'estomac ; peut être mortelle.
Dicentra spp.	Dicentre à capuchon, cœur saignant	Feuilles et tubercules peuvent être toxiques si ingérés en grande quantité ; mortel pour le bétail.
Dieffenbachia seguine	Dieffenbachia	Tiges et feuilles causent une grande irritation et brûlent la langue et la bouche. Peut entraîner la mort si la base de la langue enfle assez pour boucher la gorge.

La digitaline contenue dans la digitale pourprée est un puissant stimulant cardiaque. Peut être mortelle si les feuilles sont ingérées.

Nom scientifique	Nom usuel	Partie toxique de la plante
Digitalis purpurea	Digitale pourprée	Feuilles causent des maux d'estomac et la confusion mentale ; peut être mortelle si ingérée en grande quantité.
Echium vulgare	Vipérine	Feuilles et tiges ; D.
Euonymus europaea		Feuilles et fruits.
Eupatorium rugosum	Eupatoire rugueux	Feuilles et tiges.
Euphorbia spp.	Euphorbe, poinsettie	Sève laiteuse ; D. Les feuilles peuvent tuer un enfant.
Ficus spp.	Figuier	Sève laiteuse ; D.
Gelseminium sempervirens	Jasmin jaune	Fleurs et feuilles ; racines ; D.
Ginkgo biloba	Ginkgo, arbre aux 40 écus	Jus du fruit ; D.
Gloriosa spp.	Gloriosa	Toutes les parties.
Hedera helix	Lierre	Feuilles et baies.
Helenium spp.	Hélénie	Toute les parties.
Heracleum lanatum	Berce très grande	Feuilles et racines légèrement toxiques ; dangereux pour le bétail.
Heteromeles arbustifolia	Hétéromèle à feuilles d'arbustier	Feuilles.

190

Nom scientifique	Nom usuel	Partie toxique de la plante
Hyacinthus	Jacinthe	Bulbes causent des nausées et des vomissements et peuvent être mortels.
Hydrangea macrophylla	Hortensia	Feuilles.
Hypericum perforatum	Millepertuis	Toutes les parties lorsque ingérées ; D.
Ilex aquifolium	Houx à feuilles épineuses	Baies.
Impatiens spp.	Impatiente, balsamine	Jeunes tiges et feuilles.
Iris spp.	Iris	Rhizomes ; D. Si ingéré cause de légers maux d'estomac.
Jasminium	Jasmin	Baies mortelles.
Juglans spp.	Noyer	Jus vert de la coquille ; D.
Kalmia latifolia	Kalmie, laurier de montagne	Feuilles.
Lantana spp.	Lantanier	Feuillage et baies vertes peuvent causer la mort.
Ligustrum spp.	Troène	Feuilles et baies.
Linum usitatissimum	Lin	Toute la plante, spécialement les cosses immatures.
Lobelia spp.	Lobélie	Feuilles, tiges et fruits ; D.
Lupinus spp.	Lupin	Feuilles, cosses et plus spécialement les graines.
Malus	Pomme	Graines contiennent du cyanure.
Menispermum	Ménisperme	Baies (qui ressemblent à des raisins sauvages) mortelles si ingérées.
Narcissus spp.	Jonquille, narcisse	Bulbes causent la nausée, des vomissements et peuvent être mortels.
Nepeta hederacea	Lierre terrestre	Feuilles et tiges.
Nerium oleander	Laurier-rose	Toutes les parties sont très toxiques, affectant le cœur.
Nicotiana spp.	Tabac	Feuillage.
Oxalis cernua	Surelle, oxalide	Feuilles.

Nom scientifique	Nom usuel	Partie toxique de la plante
Papaver somniferum	Pavot à opium	Graines des cosses non mûries très toxiques.
Pastinaca sativa	Panais	Cheveux des tiges et feuilles ; D.
Philodendron spp.	Philodendron	Tiges et feuilles.
Podophyllum peltatum	Pomme de mai, podophylle pelté	La pomme, le feuillage et surtout les racines contiennent au moins 16 toxines actives. Les enfants mangent souvent la pomme sans effet apparent, mais plusieurs pommes peuvent causer une diarrhée.
Primula spp.	Primevère	Feuilles et tiges ; D.
Prunus spp.	Prunier, pêcher, cerisier	Graines et feuilles ; les graines contiennent du cyanure.
Quercus	Chêne	Feuillage et glands. Il en faut une grande quantité pour intoxiquer.
Ranunculus spp.	Renoncule âcre, bouton d'or	Feuilles ; D. Si ingéré, le jus irritant peut causer des troubles digestifs.
Rhamus spp.	Neprun, baies de café	Sève et fruits ; D.
Rheum rhaponticum	Rhubarbe	Feuilles ; D. Une grande quantité de feuilles crues ou cuites (contiennent de l'oxalide) peut causer des convulsions, le coma, suivi de la mort.
Rhododendron spp.	Rhododendron, azalée	Feuilles et toutes les parties peuvent être mortelles.

Toutes les parties du magnifique rhododendron sont très toxiques si ingérées.

Nom scientifique	Nom usuel	Partie toxique de la plante
Rhus diversiloba	Sumac	Feuilles.
Ricinus communis	Ricin	Graines mortelles.
Robina Pseudo-Acacia	Robinier faux-acacia	Jeunes pousses, écorce et graines.
Rumex acetosa	Rumex petite-oseille	Feuilles.
Sambucus canadensis	Sureau du Canada	Pousses, feuilles et écorce. Des enfants ont été empoisonnés en utilisant les tiges de sureau comme tire-pois.
Saponaria vaccaria	Saponaire des vaches	Graines.
Senecio	Sénéçon	Feuilles et tiges.
Solanum dulcamara	Morelle douce-amère ou furieuse	Feuilles et baies.
Solanum nigrum	Morelle noire, tue-chien	Baies non mûres et feuilles.
Solanum pseudo-capsicum	Cerise d'amour ou de Jérusalem	Fruit.
Solanum tuberosum	Pomme de terre	Partie verte des tubercules.
Tanacetum vulgare	Tanaisie vulgaire	Feuilles.
Taxus baccata	If	Feuillage, écorce et graines mortelles ; feuillage plus toxique que les baies.
Urtica spp.	Ortie	Feuilles ; D.

Premiers soins

Si la personne intoxiquée est consciente, provoquer le vomissement en lui faisant boire un verre d'eau chaude additionnée d'une cuillerée à table de sel. *Ne jamais essayer de faire boire une personne inconsciente.* Garder le malade au chaud et l'observer attentivement. Lui donner la respiration artificielle au besoin. Communiquer immédiatement avec un médecin ou conduire le malade à l'hôpital.

Jardin type

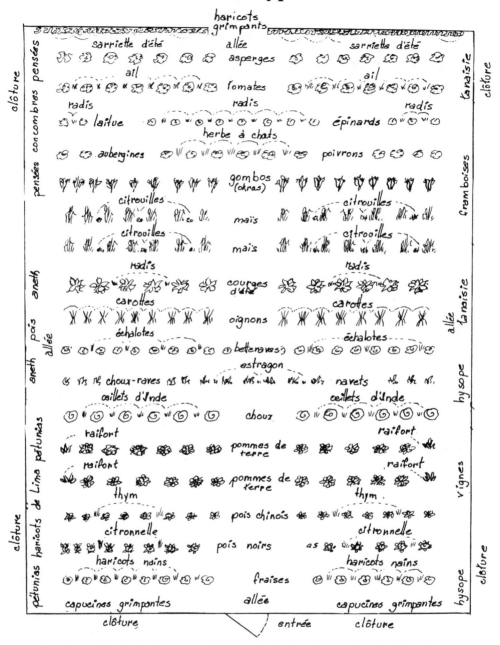

Ce modèle de jardin est semblable au mien (en plus petit) et l'allée qui en fait le tour facilite grandement l'entretien. La clôture est utilisée pour les plantes grimpantes comme les concombres, les pois, les vignes et les haricots.

195

En plus d'ajouter des touches de couleur au jardin, les fleurs ont un effet bénéfique sur les fruits et les légumes. Notez également qu'il y a alternance de légumes dans presque tous les rangs. Les plantes vivaces, comme les asperges et le raifort, sont placées à l'extérieur des rangs pour faciliter l'entretien.

COMPOSÉ AUX ATELIERS
GRAPHITI BARBEAU, TREMBLAY INC.
À SAINT-GEORGES-DE-BEAUCE

Achevé d'imprimer
sur les presses

LES ÉDITIONS   POLYFORME
du lac-st-jean ltée   québec inc.

Alma (Qué.)